〔改訂版〕

AI時代のビジネスを支える

「データセンター」読本

Sugiura
日出夫

幻冬舎 MC

はじめに

クラウド、スマートデバイス、ビッグデータ、ＡＩ（人工知能）、ＩｏＴ、フィンテック……。

ＩＴの世界には毎年のように新しい概念やテクノロジー、サービスが登場し、絶えず進化を続けています。その進化により社会もまた、大きく変化しているといっていいでしょう。

次々と生まれる新しい概念やテクノロジー、サービスは登場するたびに注目を集めますが、それらを支えるために欠かせない〝ある施設〟についてはなかなか話題に上ることがありません。実はその重要な施設こそ、本書のテーマである「データセンター」なのです。

「データセンター」という言葉を聞いたことはあっても、どういうところなのか、どういう役割を果たしているのかを説明できる人はほとんどいないと思います。ましてや、データセンターにどのような課題があるのかを考えたことがある人はまずいないでしょう。

ＩＴ社会のインフラともいえるデータセンターですが、その知名度は電気、ガス、水道、電話、鉄道などほかの社会インフラと比較すると圧倒的に低く、ＩＴ業界で働く人を除けば、「データセンター」の存在自体を知らない人が大多数かもしれません。

もちろん役割としては「裏方」ですから、知名度が低いのは自然なことといえるかもしれません。しかしデータセンターの機能が停止したら私たちの生活にもビジネスにも非常に大きな影響があるのです。

みなさんが日常で何気なく使っているスマートフォン（以下、スマホとする）ですが、データセンターのＩＴインフラが使えなくなると、Twitterでつぶやくことも、LINEで連絡を取り合うことも、FacebookやInstagramに投稿することもできなくなります。銀行のＡＴＭもSuicaなどの交通系ＩＣカードも使えなくなります。ＥＣサイトで商品を売買することもできません。

もちろん、企業の活動にも大きな影響が出ます。電子メールが使えなくなりますので連絡業務を電話やＦＡＸや郵便で行わなくてはなりません。銀行、製造業、医療、サービス業など、ありとあらゆる企業のシステムが停止してしまい、ビジネスが大混乱となるばかりか、想像もつかない損失が発生するでしょう。

ＡＩやＩｏＴなどがビジネスや生活に不可欠なツールとなっていくこれからの時代は、ますますデータセンターが重要になります。データセンターなくしてビジネスの遂行も快適な社会生活を送ることも不可能になるといっても過言ではないのです。

これほど重要なデータセンターですから、その基礎から将来性、今後の課題などを網羅したデータセンター入門書があれば、より多くの方々にその重要性を理解していただき、少しでも身近に感じていただけるのではないかと考えました。

実はデータセンターの構成要素は電気、空調設備やＩＴ機器など非常に多岐にわたっています。また、それらの設備の維持や運用管理にもそれぞれのプロフェッショナルなスキルが要求されます。データセンターエンジニアのミッションが複雑化していることもあり、システムエンジニアやソフトウェアエンジニアですらデータセンターの重要性を理解しているとはいえません。そのためこれほど重要でありながら、データセンターで働くエンジニアは非常に不足しています。私は一人でも多くのエンジニアにぜひデータセンターにも目を向けてもらい、これからのデータセンターを担っていただきたいと考えます。

私が知る限り、日本にデータセンターについて網羅的に解説している入門書はありません。本書では、まず現在のＩＴ業界を取り巻く環境について説明したのち、なぜデータセンターが必要不可欠なのかを解説します。さらに一般的なデータセンターの構造と将来的にどう変化していくのか、その未来像についてもご紹介します。できるだけ専門的にならないように気を付けながら、どうしても必要な専門用語については、ＩＴに関する知識がほとんどない方でも分かるように解説しています。

データセンターを理解することは、これからのＩＴと社会のあり方を理解することであり、さらには新しいビジネスチャンスにもつながります。

一人でも多くの方が、本書からさまざまな知識とヒントを得ていただければ幸いです。

改訂版 AI時代のビジネスを支える「データセンター」読本　目次

［第2章］　ＩＴ社会になくてはならない「データセンター」

［第４章］デジタルトランスフォーメーションが本格化

［第5章］　AI時代を見据えて――「データセンター」の未来像

［第1章］

スマホ、仮想通貨、ＡＩ、ディープラーニング……目まぐるしいＩＴ業界の技術革新

「夢」だったことを次々に実現　私たちの生活を激変させたＩＴ

私たちの生活を豊かにしてきたさまざまなＩＴ。それを陰で支えているのが、本書のテーマである「データセンター」という施設です。「データセンター」という言葉を聞いたことがあっても、ＩＴ関係の仕事をされている方を除くと、データセンターの正確な意味や内容をご存知の方は少ないように思います。ましてや実際にデータセンターの中に入ったことがある方は、ほんの一握りではないでしょうか。

一般の方にはなじみが薄いデータセンターですが、データセンターはＩＴ社会において極めて重要な役割を担っています。本章では、「データセンター」の重要性について、身近な例を挙げながら説明していきたいと思います。

ウルトラマンシリーズのようなヒーローものの特撮番組には必ず、地球の平和を守るための組織が登場します。私が子どもだった40年ぐらい前、彼らは腕時計に組み込まれた通信機器で連絡を取り合っていました。あるいはテレビや映画に出てくるスパイは、小型カメラや小型録音機を使って諜報活動をしていました。

その当時に、数十年後には地球防衛組織やスパイが持っているような通信機器、カメラ、録音機を普通の人でも持てる時代が来る——などと言ったら笑われたことでしょう。SFやスパイ小説の世界の話であり、ほとんどの人が仮に実現したとしても一般人には関係ないと思い込んでいたからです。

自動車電話などの移動電話もありましたが、かなり大きく重たいものでした。録音機もどんなに小さくしてもカセットテープが入る大きさが必要でした。録音できる時間もせいぜい120分。カメラも同様で、そもそもフィルムカメラが使われていました。


ところが、今ではポケットに入るサイズで厚さは1㎝以下、重さも100~150g程度で、電話やカメラ、録音や録画機能、地図、ナビゲーターといったさまざまな機能が1台にまとまったものを、多くの人が持ち歩いています。

いうまでもなく、スマホのことです。40年前には空想の世界にしかなかったものより、さらに機能も性能も優れたものが数万円で売られている時代になったわけです。

それどころか、自動運転や空中自動車なども現実的なものになってきました。そのうちに「タケコプター」や「どこでもドア」も実現してしまうかもしれません。実際、ドローンやVR（バーチャルリアリティ）は、これらにとても近いものといえます。

「1年半で2倍」の法則に則ってきたコンピューターの進化

現在主流となっているコンピューターの原理は、ジョン・フォン・ノイマン（「ゲーム理論」などで有名な数学者）が1945年に、「ノイマン型コンピューター」という原理を考案し、現在に至っています。

ハードウェア技術では、ウィリアム・ショックレーが1949年に発明した接合型トランジスタが、コンピューターの進化を促すことになります。ショックレーはトランジスタを発明した功績で、1956年にノーベル物理学賞を受賞します。

ショックレーは、トランジスタの商業化にも熱心で、1955年、マウンテンビュー（Googleの本社がある場所）にショックレー半導体研究所を設立しました。これが基になってできたのが、今もIT産業の中心地として有名なシリコンバレーです。

シリコンバレーからは、ロバート・ノイス、ゴードン・ムーア、アンドルー・グローヴという3人の天才的な半導体技術者が現れました。彼らが設立した会社がインテルです。このうちゴードン・ムーアは「ムーアの法則」とよばれる経験則を提唱したことで知られています。これは「集積回路上のトランジスタ数は1年半で2倍になる」というものです。

ムーアの法則の公式は、「P＝2のn／1・5乗」（Pは倍率、nは年数を表す）と表されます。この公式によると、2年後には2・25倍、10年後には10・08倍、20年後には10321・3倍の計算です。

大雑把にいうと、コンピューターの性能は1年半で2倍になるということで、そのうち物理的な限界を迎えるといわれながら、今までだいたいこのとおりに進んできているといわれています。

25年前と現在のコンピューターの違い

私が社会人になったのは、25年前の1998年です。コンピューターの性能は10年毎に

100倍進化するといわれています。25年では約1万倍になっているはずですが、体感としてはよく分からないかもしれません。しかし今の複雑なアプリケーションが25年前のコンピューターでまともに動くかと考えたら、まず動かないでしょう。例えば、写真加工や動画再生などの動画処理機能に関していえば、25年前のコンピューターは今より圧倒的に能力が低く、今よりずっと小さな容量のコンテンツしか扱えませんでした。

当時の通信速度を見ると、NTTが1988年にサービスを開始した、世界で初めてのISDN(統合デジタル通信網)サービス「INSネット64」がピークを迎えようとしていた頃で、通信速度は最大64Kbpsでした。そのISDNは2024年に終了することが決定しています。現在普及が進んでいるのは2020年3月からサービスが開始された5G(ファイブジー)、「第五世代移動通信システム」です。その通信速度はなんと最大10Gbpsで、将来的には20Gbpsまで向上するといわれています。64Kbpsと10Gbpsを比較すると約15万倍も速度が向上しています。

身近になったコンピューター

ムーアの法則に従えば、コンピューターは性能が倍々ゲームで向上するだけでなく、集積回路の集積度が高まるので小型化も進むことになります。1949年に作られた最初のノイマン型コンピューターと言われるEDSACは、12畳の部屋を専有する大きさでした。

このような大きな装置は、研究所のような場所にしか置けません。そもそも高価でしたから一般人に手の届くものではありませんでした。しかし、今では誰もがコンピューターを使える時代になりました。自宅になくても職場には専用のコンピューターがあるという人も多いでしょう。現在のコンピューターはEDSACより機能も性能もはるかに上です。

さらに、身近なコンピューターは、スマホです。以前のコンピューターは机の上で使うのが原則で、有線のネットワークでつながれていました。スマホはポケットに入るサイズで、電車の中で使うことができます。ネットワークも無線なので、電波の届くところであればどこでも使えます。小さくて便利なのに、機能も性能も25年前をはるかに凌いでいます。

コンピューターが身近になるとデータ量が増える

コンピューターの性能が飛躍的に向上すると同時に、どこでも使える身近なものとなりました。そうなると、爆発的に増えるのがデータ量です。

例えばレストランで料理の写真を撮ってSNSにアップするなどということは、スマホ登場以前には考えられませんでした。フィーチャーフォン（ガラケー）でもできなくはありませんでしたが、写真の美しさがまったく違います。フィーチャーフォン時代に「インスタ映え」などという感覚は芽生えなかったでしょう。TikTokも登場して、動画も気軽にどんどんアップされるようになっています。

SNSへのアップだけではありません。写真などは自動的にクラウドにバックアップされるようになりました。気づかないうちにバックアップされている人も多いのではないでしょうか。通信速度が飛躍的に速くなり、記憶装置もタダ同然となったため、このようなサービスが実現しました。その結果、インターネット上を行き交うデータ量は、昔とは比較にならないほど増えています。

便利になるとさらに大量のデータが必要となる

ＳＮＳへの画像アップはほんの一例で、データが増える要素はまだまだたくさんあります。

銀行の窓口業務が減り、その分コンビニのＡＴＭが増えています。24時間３６５日入出金ができるようになり、データ量が増えることになります。Suicaのような電子マネーによる決済が増えることでも、データ量は増えます。Amazonや楽天のようなインターネット通販の利用もどんどん増えています。配達がどこまで進んでいるかをリアルタイムに把握できるのも当たり前になりました。これによってももちろん、データ量が増えます。

近年では、ＩｏＴ（Internet of Thingsの略、モノのインターネット）が急速に普及しています。ＩｏＴとは、機器同士がインターネットを介してデータをやり取りすることです。例えば、機械の故障の兆候があれば、そのデータがメーカーのサポート部門のサーバーに送られます。あるいは工場をまたがって機械から機械へ製造進捗データを送り、自動的に連携させることも可能です。もちろんこれも、データ量を増やす要素になります。自動運転の実現には不可欠な技術であり、自動運転が実現して普及したら、データ量はとんでもなく多くなることでしょう。

ＡＩの開発にも膨大なデータが必要です。最新のＡＩは、機械学習やディープラーニングという大量のデータを基に学習して、自らを成長させるモデルを採用しています。精度の高い学習をするためには、単に量が多いだけではなく、質の高いデータを必要としますが、質の高いデータは、膨大なデータから探し出すことが多くなります。また学習しやすいデータにするための加工も必要であり、そうなると加工の過程でも大量の中間データが生み出されます。

このように私たちの生活を豊かにする技術には、ネットワークにつながれたＩＴ装置が必ず関わっており、そのすべてがデータ量を増やしているのです。

データ量はどのぐらい増えたのか、そして今後の予測は？

では実際にデータ量はどのぐらい増え、また今後どのぐらい増えるのかというと、インターネットのデータ通信量の統計と予測があります。

図表1は、総務省が発行している「令和4年版 情報通信白書」のものです。1秒間に何ビット（情報の最小単位、8ビット=1バイトで英数字1文字を表現できる）のデータが飛び交ったかを示しています。

ブロードバンドというのはオフィスや家庭での利用と考えればいいでしょう。移動体通信はスマホやタブレットなどを外で利用した場合です。2012年から2021年の10年間で、ダウンロードを比較してみると、ブロードバンドで約10倍、モバイルで約11倍増えています。同じくアップロードでは、ブロードバンドで約4倍、モバイルで約14倍増えています。まさに爆発的な増え方だといえるでしょう。

【図表１】 インターネットトラヒックの推移

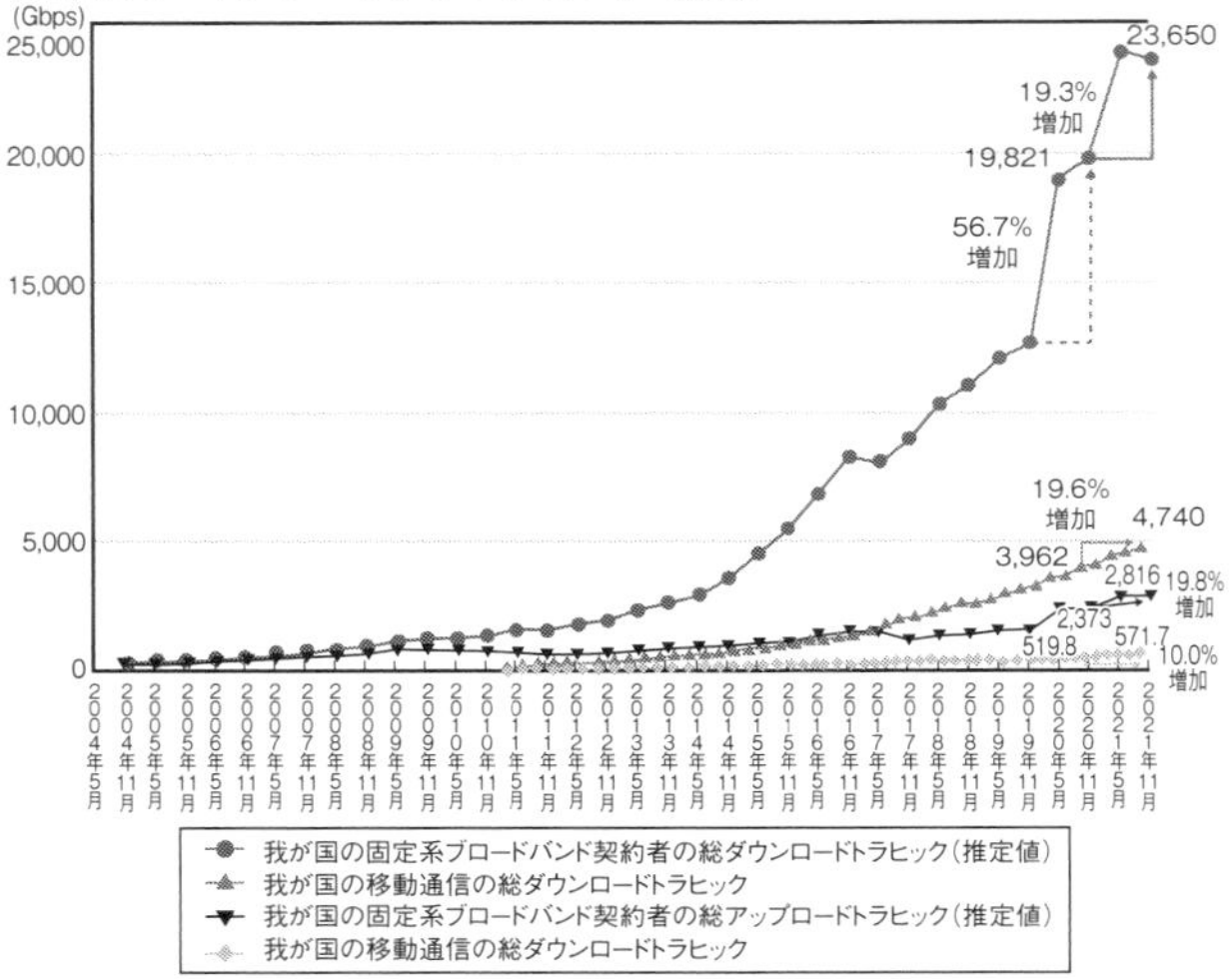

出典：総務省「我が国のインターネットにおけるトラヒックの集計結果」（2021年11月分）

全世界のＩＰトラヒックは現在と比べ２０３０年には30倍以上、２０５０年には４０００倍に達するという予測もあり、社会経済のあらゆるデジタル化に伴って、わが国でも脅威的なトラヒックの増加が続くことでしょう。

＊通信の分野におけるトラヒックとは、インターネットやLANなどのコンピューターなどの通信回線において、一定時間内にネットワーク上で転送されるデータ量のことを意味します

コンピューターの数も増え続ける

ここまで見てきたように、データ量は爆発的に増えていますし、今後も増え続けます。そうなると大量のデータを処理するために、コンピューターの処理性能も高めていく必要があります。ムーアの法則がいつまで続くのかは分かりませんが、しばらくはコンピューターの高性能化と小型化が続くことでしょう。

しかし、データ量は過去5年で数十倍に増えていますから、ムーアの法則によるハードウェア性能の伸び（1・5年で2倍）をはるかに上回っています。したがって、増え続けるデータを処理するためには、コンピューターの台数も増え続ける必要があります。

コンピューターの台数が増え続けなければならない理由は、データの増加だけではありません。コンピューター上での処理自体が複雑になっていることもその理由です。

例えばＡＩの開発（学習）は、かなり時間のかかる処理で、複数のコンピューター（演算装置）が協力して実行しています。また仮想通貨のマイニング（仮想通貨の取引を暗号化して記録することで、仮想通貨を獲得すること）も大変な処理で、大量のコンピューターを必要とします。

将来、自動車の自動運転やドローンの自動配達が実現し普及することになれば、交差点に一つぐらいの間隔で高性能のサーバーが複数台必要になることでしょう。データ量もさることながら、処理も複雑で停止できないため、あとで詳しく述べますが、冗長性をもたせなければいけなくなるからです。簡単にいうと、サーバーを複数台用意しておいて、1台が壊れてもほかで処理を引き継げるようにしておかなければいけないということです。

進化するデータセンターが解決する

コンピューターが増えると発熱の問題が発生します。現在のコンピューターの設計思想では、コンピューターが処理を実行すると、どうしても熱が発生します。しかも、コンピューターの小型化が進んでいるため、20年前なら数台のサーバーしか置けなかったスペースに、数十台ものサーバーを置けるようになりました。そのため同じ面積あたりの熱量も一桁増えています。

しかし、コンピューターは熱に弱い機械であり、高熱化すると故障してしまいます。なんとかして冷やさなければいけませんが、一般オフィスの空調装置でとても冷やせる熱量ではありません。

また、コンピューターを効率的に設置するためには、ラックという専用の棚が必要になります。ラック自体が重いうえに、そこにコンピューターをぎっしり詰め込むため、1㎡あたりの重量がかなり重くなります。一般オフィスでは床が抜ける恐れがあるほどです。

さらにいうと、近年災害が増えていますし、今後は南海トラフなどで大地震が発生することが確実視されています。南海トラフ以外でも、東日本大震災以降、九州や北海道で記録的な地震が発生しました。火山活動も活発になっています。

異常気象も当たり前のようになり、洪水や土砂崩れなどによる被害が相次いでいます。大型台風の上陸頻度も増えており、各地に被害をもたらしています。

災害が発生しても業務を停止しないための計画をＢＣＰ（Business continuity plan-ning事業継続計画）とよんでいます。どの企業もＢＣＰを策定し、それに基づいた施策や訓練を実施すべき時代になったといえます。

業務の中心はコンピューターシステムですから、コンピューターシステムを停止させないことがＢＣＰの最大の検討項目です。そのためにはめったに停止しない堅牢な場所に、コンピューターを設置する必要があります。また、万が一停止したときでも、すぐに別の場所でシステムを再稼働できるようにしておく必要もあり、このようなことが可能な場所を探さなければなりません。

増えていくコンピューターにどう対応すればよいか、災害があっても業務をできるだけ停止したくないがどういう場所なら可能なのか。これらの問題が近年、深刻になってきています。

実は、これらの問題を解決する設備が、データセンターなのです。データセンターはすでに社会インフラとして重要ですが、その重要性は年々増しているといっていいでしょう。

ただし、現在のままのデータセンターでは解決できない問題もあります。それを解決するにはどうしたらいいのか、データセンターの近未来像も含めて、データセンターの概要と現状を詳しく見ていきましょう。

［第2章］

IT社会になくてはならない「データセンター」

改めて「データセンター」とは?

日本国内の業界団体として、日本データセンター協会という特定非営利活動法人があります（以下、略称でJDCCとする）。私の会社も正会員として所属している組織です。データセンターが普及してきた2000年代にはデータセンターの設計思想、効率化に関する指標など統一された見解がない状況でした。JDCCはそのような課題を解決し、日本国内のデータセンターの安全面、性能面などあるべき論を追求すべく、2008年12月に設立されました。すでに15年の歴史をもち、国内外の活動も積極的に行っている団体です。

このJDCCによるデータセンターの定義をご紹介します。

データセンターとは、インターネット用のサーバーやデータ通信、固定・携帯・IP電話などの装置を設置・運用することに特化した建物の総称を指します。

（JDCCのWebサイトより）

この定義から分かることは、「データセンターとは通信機器やコンピューターなどのＩＣＴ機器の安全な運用のために作られた特別な建物とされていることです。つまり、中で働く人を中心に作られている一般のオフィスビルなどとは、根本的に設計思想が違うことになります。

もう少し具体的なデータセンターの特長を見てみましょう。

●通信回線

通信事業者の光ファイバーなどの通信回線を大量に利用できるため、通常のオフィスビルと比べて非常に多くの通信回線が引き込まれています。また通常、複数の通信事業者の通信回線が利用可能になっています。

●構造

災害時にもサービスの提供に極力支障が出ないように、建物自体も耐震構造とされています。

●電気設備

電力供給が途絶えた場合に備え、大容量の蓄電池や自家発電装置などを備えています。

●消火設備

構内で火災が発生した場合にも中に設置されている機器を極力傷めないよう、通常のスプリンクラーではなく二酸化炭素やフロンガスによる消火設備をもっています。

（ＪＤＣＣのＷｅｂサイトより）

要するに、さまざまな構成要素をコンピューターの安全運転に注力して設計された施設といえます（通信回線の項目にある「通信事業者」は、通信キャリアとも呼ばれる、固定電話や携帯電話などの通信サービスを提供する電気通信事業者を指します）。

なお、データセンターの定義のなかに敷地の大きさは定義されていません。巨大な建物も小規模な建物、もしくは建物の一部もデータセンターの要件を満たせば、データセンターとみなされます。

「データセンター」という言葉は1990年代から

データセンターという言葉がいつ頃から使われ始めたかは、諸説ありますが、言葉自体が一般的に使われるようになったのは、1990年代にインターネットデータセンター（iDC）という言葉が使われるようになってからだと思います。それまでは、コンピューターセンター、電算センターという言葉が使われていました。

初期のコンピューターセンターとは巨大なメインフレーム（大型汎用コンピューター）が設置されていた時代のものです。メインフレームコンピューター（以下、メインフレームとする）が出現した当時は、明らかに一般オフィスでは設置できない代物でした。サイズが大きいというのは当然ですが、非常に重く、また電力も大量に必要としていました。さらに、使っていると熱を発生するため特別な冷却方法を考える必要がありました。このようにいろいろな難点を解決する部屋、建物がデータセンターのスタートです。

その後コンピューターの小型化が進み、巨大なメインフレームではなく、さまざまなコンピューターが研究機関や、大手企業を中心に普及していきました。

1990年代に入ってから、インターネットが急速に普及し始めました。また、Windowsの出現により、一般家庭へのコンピューターの普及も加速していきます。このように前述したiDCがサービスを開始したのもこの頃で、これが現在のデータセンターに直接つながるものだといっていいでしょう。

データセンターが2000年から急速に増えた理由とは?

その後、「2000年問題」にIT業界全体が対応に追われた時期がありました。2000年問題とは、コンピューターのメモリを節約するために、19XX年の「19」を省略していたプログラムが、2000年1月1日以降、正確に作動しなくなるという不具合のことです。つまり2000年になると、コンピューターが1900年と勘違いして、誤作動を引き起こすというものです。

1998年頃から、ユーザー企業かベンダーかを問わず、大量のITエンジニアが2000年問題の対応のためにアサインされました。1999年の大晦日から多くのIT

エンジニアが万一に備えて、サーバールームやデータセンターに泊まり込みで待機しました。結果としては、2000年に入っても大きな社会的混乱が起きず、スムーズに業務を行えました。

このような大混乱があったため、1990年代に入って登場したデータセンターでしたが、そのような事情で1990年代後半にはそれほど数が増えませんでした。顧客となる企業側がデータセンターへの移設などをしている余裕があまりなかったからです。ただ、一方で、データセンター事業者はデータセンターの建設計画を着実に進めていました。

日本で急激にデータセンターの数が増えたのは、「2000年問題」対応が終了した2000年になってからです。急激に増えたものの、当時はそれでも需要に追い付かず、2000年代はデータセンターの建設ブームとなります。

昔のコンピューターセンターとの大きな違い

先に、コンピューターセンターは、現在のデータセンターと基本的な要素は大きく変わらないと述べました。データセンターに重要な要素である、建築、電気、空調などに対する課題を解決するという点において共通することは多くあります。しかし、当時の設計は細かく見ると、現在と大きく違うことが分かります。

メインフレームの初期の時代は、今のコンピューターのように自動ではなく、人がマニュアル操作するものでした。しかも、計算をさせる際もパンチカードというマークシート用紙に穴があいたようなシートが使われていました。今ではデータセンターに紙を持ち込むことは火災や粉塵発生のリスクから避けられていますが、当時は大量の紙がコンピューターセンター内に置いてありました。

また、コンピューターを操作するためのエンジニアが同一室内にいたことも当時の特徴です。現在のデータセンターでは、コンピューターが配置されているサーバールームにはほとんど人がいません。自動化およびネットワーク経由の遠隔操作が進んだからです。機械の設置や障害発生時以外に人が立ち入ることはほとんどなくなりました。

オープンネットワーク技術がデータセンターを生んだ

　データセンターが普及した大きな背景として、インターネットの普及が挙げられます。今では当たり前となったインターネットですが、以前はどういう状況だったのでしょうか。メインフレームの時代は、メーカーごとにネットワーク技術が違っていました。しかしそれでは不便だということで、アメリカでは１９６０年代からコンピューター同士をつなぐネットワークの研究が行われ、１９７０年代に生まれたのが、ＴＣＰ／ＩＰというインターネットの通信規約（プロトコル）です。それまでは、同じメーカーのコンピューター同士しかつながらない閉じた環境であったものが、この通信規約が誕生したことで、現在のように他社のネットワーク同士もつながるようになったのです。この共通言語が整い始め、異機種同士を接続するためのネットワークと通信規約が徐々に整備されていきましたが、主な利用者は研究所や大学などの研究機関でした。

　インターネットが爆発的に普及したきっかけは、１９９０年代のWorld Wide Web(以下、Ｗｅｂとする）の登場でした。基本的には文字ベースだったコンピューターの世界に、画像が一気に増えたのです。画像表示ができるWebブラウザのおかげでした。細かい仕様の違いはありましたが、世界中のどんなコンピューターでもWebブラウザさえあれば、画像が入ったコンテンツを閲覧することができるのです。これは当時としては画期的なことであり、情報を受け取る側も提供する側もみんなこぞってWebに飛びついたのでした。

こうして1990年代半ばからインターネットが爆発的に普及し始め、同時にPCも一気に普及しました。そうなると、当然データも増えますし、データをやりとりするためのサーバーも飛躍的に台数が増え、そのための置き場所も必要になりました。そのため、データセンターの需要も高まり、「2000年問題」という一時的な足かせはありましたが、インターネットの普及とほぼ足並みをそろえる形でデータセンターも普及していったのです。

仮想化技術の進展がデータセンターの普及に拍車をかけた

データセンターが日本で普及し始めた時期あたりから、コンピューターをより効率よく利用する技術の開発が進みます。その代表的な例が仮想化技術です。サーバーとはインターネットなどのネットワークを通じて利用者にサービスを提供するコンピューターのことですが、仮想化技術は、物理的なサーバー内の余ったリソースを分割したり、統合したりすることで、サーバーを無駄なく有効活用する技術です。

特にデータセンターの利用が進んだ2000年代には、大量のIT機器が設置されるようになりました。ただ、多くの機器がそれぞれの容量をほとんど使っていない、もしくは逆に一部のリソースだけが足りなくなっている状況でした。仮想化技術はそのような問題を解決するのに大きく貢献します。

「仮想化」というのは、物理的なサーバーの内部にあたかも複数のサーバーが動作しているように見せかける技術です。実はメインフレームでは1970年代に実用化されていた技術でしたが、ＰＣサーバーでは２０００年前後になってようやく実装されたのでした。

仮想化の普及で、コンピューターリソースの計画は以前よりも楽になりました。サーバーはすべてがフル稼働しているわけではなく、ほとんどの場合リソースが余っているものが存在します。そこで一時的に大量のリソースが必要になった場合には、余っているサーバー上に仮想サーバーを起動して、その仮想サーバーと協調して処理すればよくなったわけです。

その後、仮想化技術はサーバーに限らず、あらゆるＩＴシステムに応用されるようになります。データを保管するストレージ、通信を管理するネットワークなどにも同様に普及が進み、システム部門のＩＴ機器の管理が格段にしやすくなりました。

それまでは、多くのＩＴ機器は各企業のオフィス内に配置されていましたが、管理がしやすくなったことも要因となり、徐々にオフィスから離れた安全なデータセンターへ配置されるようになってきました。このように、自社のサーバーをデータセンター事業者の提供するスペースを借りて運用する形態（コロケーション）が増えるようになります。コロケーションの需要は一気に高まり、多くの企業がデータセンターを活用しながら、さまざまなシステム、バックアップ方式などを構築するようになります。

クラウドがデータセンターのあり方を変えた

さらに、2006年頃からのクラウドの普及はこれまでの自社で保有して管理するという形を変える大きな流れとなります。「クラウド」とは、コンピューターリソースやアプリケーションサービスを使用量に応じて課金するサービスのことですが、このようなサービスが可能になったのも仮想化技術のおかげです。

クラウドサービスを提供する業者をクラウドサービスプロバイダ（CSP、本書では「クラウド事業者」とよびます）といいます。コロケーションサービスを利用していた企業は自分たちでサーバーを購入し、管理をしていました。もちろん、仮想化の技術を活用しリソースの最適化をしていましたが、やはり急激なビジネスの変動などから短期間でシステムを増やしたり、減らしたりする必要がありました。サーバーなどの機器は高価なため手軽に購入することが難しく、手ごろな策としてコンピューターリソースをサービスとして提供してもらうことへのニーズが高まりました。世界最大のクラウド事業者がAmazon（AWS）で、それに続くのがMicrosoft（Azure）とGoogle（Google Cloud Platform）です。Amazonは、自社の業務で利用していた大量のサーバーの空きリソースを仮想サーバーとして貸し出すビジネスを始めました。マーケットのニーズも高いことから、本格的にクラウドサービス用のデータセンターを準備し、全世界でサービスを拡大しました。特にAWSは圧倒的なマーケットシェアをとり、あっという間に世界中を席巻したのでした。

クラウドが普及すると、ユーザー企業はデータセンターに設置しているサーバーだけではリソースが不足する事態になっても、今度はクラウドにある仮想サーバーと協調して処理をすればいいので、コンピューターリソースの計画がさらに楽になりました。

このようにクラウドの利用は着実に進展してきており、ユーザー企業は自社で管理する基幹系の業務処理や極めてセキュリティの高い処理以外はクラウドにシフトする傾向にあります。またクラウドの活用もどこか1社だけではなく、複数のクラウドサービスを組み合わせたマルチクラウドを利用するようになってきています。そのためデータセンターに求められる要件も、場所を貸し出すだけのコロケーション中心から、ハイブリッドクラウドやマルチクラウドといった複数のサービスを提供できることが求められるようになってきています。

データセンターの信頼性を示す「ティア」とは？

ここまでデータセンターの歴史的な側面について語ってきました。ここからは、データセンターそのものについて、少し詳しく説明していきましょう。

まず知っておいていただきたいのは、データセンターの信頼性は「ティア」という段階評価を使うのが一般的ということです。

ティア（Tier）はデータセンターの信頼性を、建物の付帯設備や冗長構成などで格付けしたものです。もともとはUptime Instituteという（標準化団体ではない）民間のデータセンター格付け企業がほかに先駆けて設定したもので、データセンター建設業界では広く参照されてきた基準です。レベル分けとしては四段階を用いて、数字が大きくなるにつれ信頼のあるデータセンターという評価となります。

データセンターが普及してきた当初、建物を建設する際に統一した見解がないなかでこのような基準ができたことは、データセンターを利用するユーザーの立場としても非常に便利な判断材料となり、データセンターを選ぶ際によく使われるようになりました。

なお、業界団体の動きとしてアメリカでは、米国電気通信工業会（Telecommunication Industry Association）が、TIA-942という標準規格を策定しました（ANSIT-IA-842-2005)。データセンター事業者は、この規格によって自社のデータセンターを設計する際に参考にしながら計画することが可能となりました。

２０２２年３月ＴＩＡは、データセンターの通信インフラ規格であるANSI/TIA-942-Bを拡張し、エッジマイクロデータセンターにも対応させました。942-B規格は、ケーブル配線、換気、冷却、電源システム、セキュリティ、監視／制御など、データセンター建築の設計要件を定義しています。

日本独自のティアが確立

日本ではデータセンターが急速に普及し始めた2000年頃はティアという考えがそこまで浸透していなかったため、各データセンターの信頼性の定義はかなり異なっていました。

大手データセンター事業者は、海外のUptime Instituteのティアを参考にしながら設計をすることもありました。当時は外資系企業がデータセンターの大口クライアントであった時期であり、日本国内のデータセンター事業者も、外資系企業の要求条件などに苦労していました。

そのようななか、日本国内でも独自の格付け基準を定める動きがありました。先ほどご紹介したJDCCが業界団体として、日本国内の諸条件を加味したうえで、日本では過剰と思われる内容を修正し、日本独自の要素を追加したティアがつくられました（図表2）。

JDCC FSの全体像を知りたい方は、JDCCのWebサイトにある「データセン

【図表２】 日本独自のティア

Uptime Tier（2008）と、JDCC FSとの比較イメージ

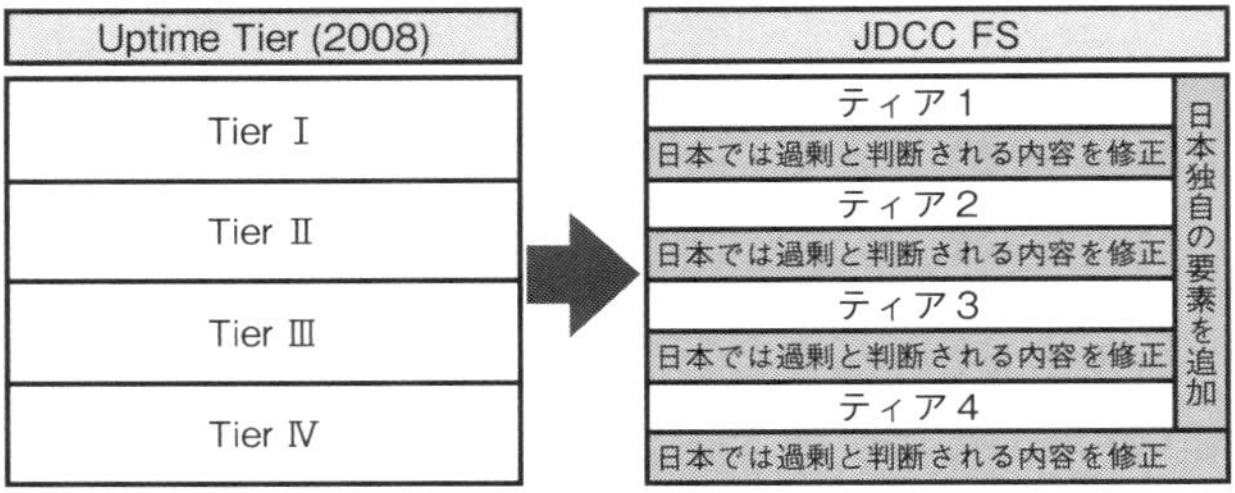

各ティアレベルが想定している、データセンターのサービスレベル

	サービスレベル
ティア1	・地震や火災など災害に対して、一般建物レベルの安全性が確保されている。 ・瞬間的な停電に対してコンピューティングサービスを継続して提供できる設備がある。 ・サーバ室へのアクセス管理が実施されている。 ・想定するエンドユーザの稼働信頼性：99.67% 以上
ティア2	・地震や火災など災害に対して、一般建物レベルの安全性が確保されている。 ・長時間の停電に対してもコンピューティングサービスを継続して提供できる設備がある。 ・サーバ室へのアクセス管理が実施されている。 ・想定するエンドユーザの稼働信頼性：99.75% 以上
ティア3	・地震や火災など災害に対して、一般建物より高いレベルでの安全性が確保されている。 ・機器のメンテナンスなど一部設備の一時停止時においても、コンピューティングサービスを継続して提供できる設備がある。 ・建物およびサーバ室へのアクセス管理が実施されている。 ・想定するエンドユーザの稼働信頼性：99.98% 以上
ティア4	・地震や火災など災害に対してデータ保全の安全性を保ち、かつ可用性も確保した非常に高いレベルでの耐災害性が確保されている。 ・機器の故障やメンテナンスなど一部設備の一時停止時において、同時に一部機器に障害が発生してもコンピューティングサービスを継続して提供できる、より高いレベルの冗長構成の設備がある。 ・敷地、建物、サーバ室およびラック内の IT 機器へのアクセス管理が実施されている。 ・想定するエンドユーザの稼働信頼性：99.99% 以上

出典：日本データセンター協会「データセンターファシリティスタンダードの概要」

ターファシリティスタンダードの概要」を参照してください。

ティアは四段階で、1から4へと数字が大きくなるにしたがって、レベルが高くなっています。それぞれの項目に得点をつけて、最も低い項目の得点で評価されます。例えば他がすべてティア4のレベルを満たしていても一つでもティア1の項目があれば、そのデータセンターはティア1とされるのです。

可用性とは？

データセンターに関連する用語として「可用性」があります。英語ではAvailabilityとよばれ、データセンターを稼働できる割合を示します。理想は、24時間365日いつでもデータセンターが使える状態であることであり、その場合の可用性は100％となります。ティアの考え方にも具体的な目標値があります。日本で普及しているＪＤＣＣのティアの各レベルの想定稼働率は次のとおりです。

・ティア1（稼働率99・67％）：28時間54分28秒
・ティア2（稼働率99・75％）：21時間54分0秒
・ティア3（稼働率99・98％）：1時間45分7秒
・ティア4（稼働率99・99％）：52分33秒

ここで表している時間は、稼働率を故障やメンテナンスなどでデータセンターがどれ位の時間停まるか、1年の内の時間に換算したものです。ただし、実際に停まる時間ではなく、それぞれのティアのリスク指標と考えてください。

なお、「可用性」と似ている用語として「信頼性」があります。「信頼性」とは、各機器の安定度を示すときに使われる言葉です。例えば、日本製の電化製品は壊れにくいということは「信頼性」が高いことになります。データセンターを安定に稼働させるため、設置される各機器は「信頼性」の高い製品を配置することが一般的です。

可用性を高めるためには冗長性がカギ

それでは可用性はどのように高められるのでしょうか。

その一つの方法は、データセンターに配置する電源設備や空調設備といった主要機器を信頼性のおけるメーカーのものを使って、故障が起きにくい状態にすることです。ただし、どの機械でも１００％安全というものは存在しません。そこで必要になるのが、その機器同士を複数台もつという考えです。これを冗長性といいます。

つまり、予備機をもつことにより、万一、使用していた機器が故障した場合は予備機でカバーをし、継続的に運転させるわけです。また、データセンターに定休日はありませんが、主要機器は定期的にメンテナンスが必要となります。冗長性を的確に備えることによりメンテナンス時においても通常どおり、データセンターのサービスを続けることが可能となります。

また、冗長性は、機器の予備機をもつということ以外に、それぞれの機器を結ぶケーブルや配管にもあてはまります。いくら信頼性の高い機器をもっていても途中で断線していては動かなくなってしまいます。したがって、データセンター内に敷設させるケーブルなども二重化することが一般的です。

【図表3】 冗長性

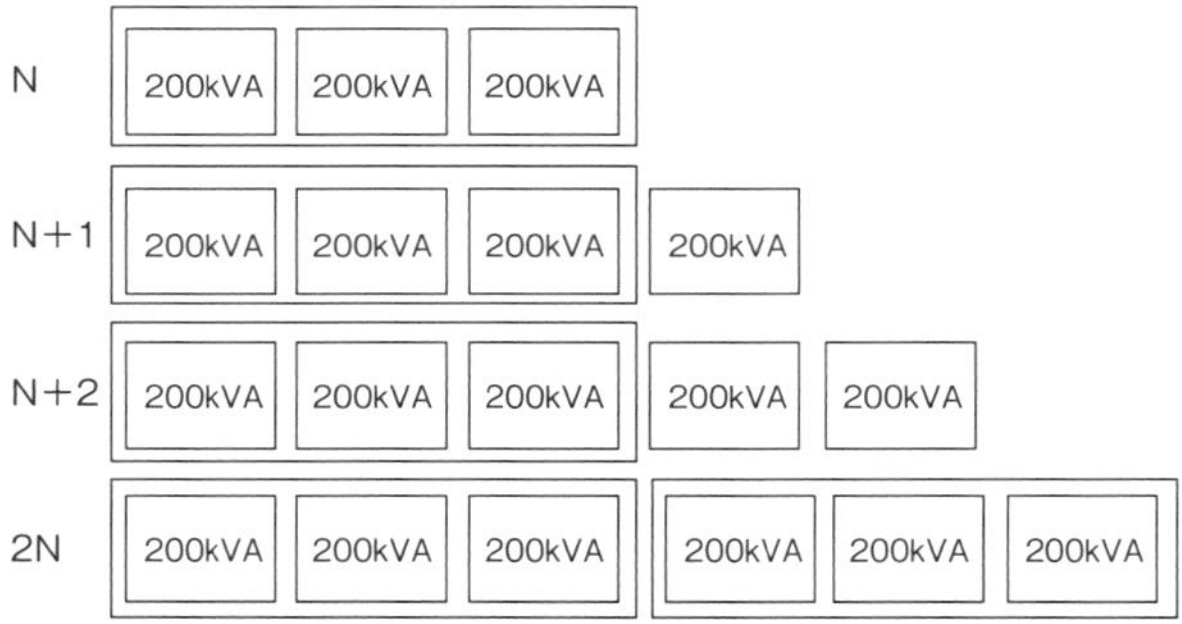

著者作成

冗長性を説明するときに「N」で表現しますが、この「N」とは「Need」のNです。冗長構成のない状態は「N」となり、予備機がある場合は「N」のあとにプラスいくつという数字をつけてバックアップ機の台数を示します。

図表３は、データセンターに６００ｋＶＡのＵＰＳ（無停電電源装置）を配置する例です。６００ｋＶＡの能力を確保するために２００ｋＶＡを３台配置して合計６００ｋＶＡとします。この状態がＮとなります。つまり３台でＮを構成するわけです（ＵＰＳについては、第３章で詳しく説明します）。

冗長性のないＮ構成は３台だけしかない状態となります。予備機を１台、すなわち「Ｎ＋１」という場合は4台の200kVAをもっている状態です。予備機を2台備える場合は「N+2」とよび、この場合だと200kVAのUPSが5台必要となります。

2Nとは容量が完全に2倍ということです。このUPSの構成であれば600kVAの能力をもう一セット用意する必要があり、予備機として3台、合計200kVAが6台の場合に2Nとよびます。

データセンターでは、あらゆる場面で冗長性をもたせることで可用性を向上させています。

100%の可用性はあり得ない

しかし、可用性が100%になることは現実的に不可能といわれています。

なぜ100%にならないのでしょうか。

まず、どのような信頼性の高い高性能機器でも故障はします。それを補うための冗長性を駆使し、バックアップで不慮の事故に備えます。確かに冗長構成でN+1を2Nにレベルを上げたり、さらに2Nに予備機を加えたりすることもできます。ただし、そのデータセンターを建設する費用は莫大なものになります。データセンター事業者の立場としては、ビジネスで運営しているからには利益を出すことが必要となります。過度な設備投資は結果として、データセンターのビジネス収益を圧迫することになってしまうのです。また機器や設備に問題がなくても、操作ミスなど人的エラーや、保守工事などの事故が発生することもあります。このような運用上のトラブルが、意外といちばん、事故につながる要因とされています。

そこで、データセンターを利用する側としては、リスク測定、すなわち、停止する確率とその際の損害額を詳しく算定し、データセンターの選定をします。より安全性を確保する場合は、データセンターを一拠点だけでなく、複数拠点利用する方法をとります。理由としては、建物設備に限らず、建設されている地域での災害など、建物だけではカバーしきれないことを想定するためです。

データセンターを利用する場合は、100%の可用性はないということを理解したうえで、システム構築やデータのこまめなバックアップなど、業務被害を最小限に食い止める方策が必要となります。

データセンターの温度や湿度の基準

ティアでは、データセンターの建設面での基準をみてきましたが、具体的なデータセンターの内部の環境はどのようになっているのでしょう。特に、データセンターの内部でもいちばん重要な場所とされるのがコンピューターが置かれているスペースです。コンピューターが最適に稼働するには電力の供給を受けることは当然ですが、冷却することがより重要となります。ただし冷却するとしても、冷凍庫のように極端な冷たい環境も適していません。

世界的に使われている参考ガイドラインとして、アメリカ暖房冷凍空調学会（ＡＳＨＲＡＥ）が策定したＡＳＨＲＡＥ基準があります（図表４）。

※ASHRAEガイドラインの分類分けとティア1～４に相関関係はありません。

【図表４】 ASHRAE 基準

分類		乾救温度	相対温度	露点温度
推奨範囲（A1 ～ A4）		18 ～ 27℃	≦ 60% RH	5.5 ～ 15℃
許容範囲	（A 1）	15 ～ 32℃	20 ～ 80% RH	≦ 17℃
	（A 2）	10 ～ 35℃	20 ～ 80% RH	≦ 21℃
	（A 3）	5 ～ 40℃	8 ～ 85% RH	－ 12 ～ 24℃
	（A 4）	5 ～ 45℃	8 ～ 95% RH	－ 12 ～ 24℃

出典：ASHRAE ガイドライン（アメリカ暖房冷凍空調学会）

この表の推奨範囲とされている条件が、データセンターでの利用環境となります。なお、この温湿度環境はデータセンターの一部のスペースの条件を指しており、データセンターのスペース全体ということではありません。データセンタースペースは、配置されたＩＴ機器を効率良く風で冷やすため、冷気と暖気のエリアを分けて設計しています。この基準は冷気エリアでの条件を示しています。

電力使用効率に関する標準

近年、省エネ化がどの業界でも進められています。特に日本では震災以降、省エネ化の傾向に拍車がかかっておりデータセンターも例外ではありません。大量の電力消費は多くの二酸化炭素を大気中に発生させるため地球温暖化の原因になるとされています。データセンターのように、大量の電力を消費する施設ではできるだけ効率よく使用することが求められます。そこでデータセンターの電力消費の効率化を図る指標として、PUE（Power Usage Effectiveness）があります。これまで世界各国でデータセンターの効率化を競って、PUEの値をよく見せる動きもあり、計算方法も定まっていませんでした。そこで2016年にPUEも国際標準化となり、現在はISO30134-2で定められています。

なお、PUEの計算式は次のとおりです。

PUE＝データセンター全体の消費電力÷データセンター内のIT機器の消費電力

ＰＵＥは、データセンター施設全体として、その建物内で使用するＩＴ機器の何倍の電力を使用しているかを測るものです。値は１に近いほど効率が良いとみなされます。つまり「ＩＴ機器が電力を使うのは仕方がないとして、それ以外はできるだけ抑えなさい」という指標なのです。

以前は２・０ぐらいが平均的でしたが、現在では１・５以下のデータセンターも多くあります。

設計に関する標準化の動き

日本にＪＤＣＣがあるように、世界の各地域でもデータセンターの業界団体が存在します。それらは大きくアメリカを中心としたもの、欧州を中心としたものに分けられます。データセンターの省エネ指標であるＰＵＥが国際化されたように、設計に関する標準化の動きが始まっています。本格的な国際標準化（ISO22237シリーズ）まではもう数年かかる見込みですが、今後のデータセンター設計は日本の基準だけを意識するのではなく、このような国際的な設計思想も理解が必要となってきます。

データセンターの立地条件

データセンターを建設する、もしくは選ぶ場合、最初に決めるべき重要な点が立地です。いかに堅牢性が高く、冗長構成があるデータセンターでも、建てる場所を間違えると想定外のリスクに直面する可能性があります。

海外では特にこのデータセンターの立地場所について、細かい条件があります。それは、気象条件や災害時の影響などから、周辺の建物、インフラ状況に至るまで多岐にわたります。

例えば、人が集まる場所は危険なので避ける傾向にあります。これは不特定多数の人をデータセンターに近付けないためです。データセンターにおける事故は内部からというより、外的要素を想定することが前提としてあるのです。

日本では、地震が多いこともあり、災害発生の可能性を想定して決定するのが一般的です。地震発生の可能性が高い地域かどうかや災害発生時の影響について、ハザードマップを参考に評価します。液状化の可能性が高いところや氾濫しそうな河川の近くもできるだけ避けます。

海外では地震に加えて、ハリケーンやトルネードの発生頻度も重視されています。気象変動の激化に伴い、日本でも今後は重視されるようになるかもしれません。

災害発生後の復旧が速やかにできるかどうかも重要です。停電してしまったときのために非常用発電機を用意していますが、発電機の燃料備蓄にも限界があります。通常は24〜48時間までは電力を供給できる燃料を備蓄していますが、それ以降については追加で燃料を調達する必要があります。48時間以内に停電が復旧すればよいのですが、されないことも想定されます。そのためデータセンターに燃料を運ぶトラックを優先契約しておくことはもちろん、災害時に道路が閉鎖される可能性が低い場所であるかどうかも検討しておく必要があります。

また、そもそも停電が起こらないに越したことはありません。したがって、発電所からの受電についても一つの変電所からだけでなく、別の変電所からも電気を引き込める場所に建設するのがより安全ということになります。これは通信回線も同様で、異なる通信基地局からケーブルを敷設できる場所があればベターということになります。

そういう意味では、条件がすべてそろっている場所はある程度限定されてきます。その結果特定の場所にデータセンターが立ち並ぶということも理解できるかと思います。

なお、データセンターを利用するユーザーの場合、立地条件については、本社機能との地理的関係を考慮したり、業種によっては順守するガイドラインに合わせて立地条件を決める場合もあります。

従来型データセンタービジネス

今度は、ビジネスとしてのデータセンターを見ていきましょう。

日本でデータセンターが普及し始めた2000年頃の主なビジネス形態は、先にも述べた「コロケーション」または「ハウジング」といわれる賃貸契約でした。自社でデータセンターを構築するとなると大きな初期投資が必要となります。そこでオフィスの賃貸のように、コンピューターを設置する場所をデータセンター事業者が提供するため、利用するユーザーは初期導入費用を抑えながら、データセンターを活用することができました。また契約についても、フロアの大半を借りるようなものから、ラックというIT機器を設置するキャビネット単位で借りるものまでさまざまです。

ちなみに、当時はハウジングとあわせて提供されていたサービスにホスティングがあります。ホスティングは、データセンター事業者がデータセンターに設置しているIT機器まで利用できるサービスです。これに対して「コロケーション」「ハウジング」は、場所を貸すだけで機器はユーザーが用意します。

ハウジングとホスティングの主な使い分けの基準は、自社固有要件の必要性です。ホスティングは小規模ユーザーでもデータセンター事業者の提供するサービスを享受しながら、関連業務を外部化することができますが、自社固有要件への自由度は低くなります。それに対してハウジング（コロケーション）は、保有と運用が自社になるためその手間が発生しますが、自社固有要件への自由度は高くなります。

なお、データセンター事業者でも自社で土地、建物を所有する事業者と、データセンターの一部を借りてビジネスを行う事業者があります。大型のデータセンターには、建物のオーナーであるデータセンター事業者と、敷地内の一部フロアを使用している別のデータセンター事業者とが共存しているセンターがあります。このようにデータセンター内に別のデータセンターがある形態をDC in DC（データセンター・イン・データセンター）とよびます。

データセンタービジネスの変化――クラウド型データセンターの登場

近年のデータセンタービジネスで成長しているのが「クラウド」です。

クラウドとデータセンターは別物と思われている人も多いかと思いますが、クラウドを構成するのは大量のコンピューターであり、それらのコンピューターを設置している場所がデータセンターとなります。

クラウドの基盤となる各コンピューター機器はクラウド事業者がデータセンターで管理・運用しているため、利用者は自分たちの資産としてＩＴ機器を管理する必要がなく、また、利用する容量を自由に変更することもできます。ホスティングとの大きな違いとしては、ホスティングはデータセンターに設置されている特定のサーバーを利用することになりますが、クラウドの場合は、どのデータセンターのどの機器を自分の利用するサーバーにするかを特定することはできません。ビジネスの変化の速度が上がるなか、クラウドを利用してスピーディーにシステムの拡張を行うケースが増え、利用者が年々増加しています。

このような市場環境のなか、クラウドの基盤となる大規模なサーバー群の提供・利用に特化したデータセンターが登場してきています。２０２５年には国内市場の約４割を占めるともいわれています。

このタイプのデータセンターは、提供形態により「共有型」と「専有型」とに分類されます。共有型が約８割と一般的ですが、より高いセキュリティ・パフォーマンスを求める場合は専有型が選ばれます。専有型は、データセンターの建物１棟全体を専有することもあります。

エンタープライズデータセンター

今でこそデータセンターは借りる時代になりましたが、以前は各企業に多く存在していました。現在の規模はかなり減少していますが、それでも一定の数のデータセンターは全国各地の企業に残っています。主な用途として自社もしくは関連企業向けのデータセンターとして構築されます。セキュリティの観点や、通信速度の理由など、外部のデータセンターを利用することと分けて活用しています。このように、自社や関連企業の使用に限定したデータセンターをエンタープライズデータセンターとよびます。

最近エンタープライズデータセンターの規模が縮小している背景としてはクラウドへの移行が大きいとされています。

クラウド事業者について

インターネット上のクラウドで情報を管理・処理するクラウドサービスは、その利便性と導入の容易さから、広く浸透してきています。クラウドは、自社専用として用いるプライベートクラウドと、複数の企業・団体が共同で利用するパブリッククラウドに大きく分けられます。このようなクラウド技術を用いたサービスを展開する事業者をクラウド事業者と呼びます。

クラウド事業者は世界に数多く存在しますが、世界でのマーケットシェア上位は、Amazon・Microsoft・Googleが占めています。国内においてもこれらの企業のシェアは強く、それに好調なビジネスの流れで日本国内でのデータセンタースペースも拡張しています。2020年から2024年までにおけるクラウドの市場は年平均成長率（CAGR）が18・4%ともいわれており、今後もさらなるクラウドの需要が高まると思われます。

データセンターのラック

データセンターでは、サーバーやストレージ、通信機器などを「サーバーラック」あるいは「19インチラック」（図表5、以下、ラックとする）とよばれる専用のキャビネットに収納して管理することが一般的です。

ラックのサイズは代表的なもので、高さが2200㎜、幅が600㎜、奥行きが1200㎜程度です。実際のサイズは各センターによって異なります。

なお「19インチ」という名称は、ラック内部に配置されているサーバーなどのIT機器を収納するレールの幅に由来しています。ラックのサイズはさまざまですが、レール間の

【図表5】 19インチラック

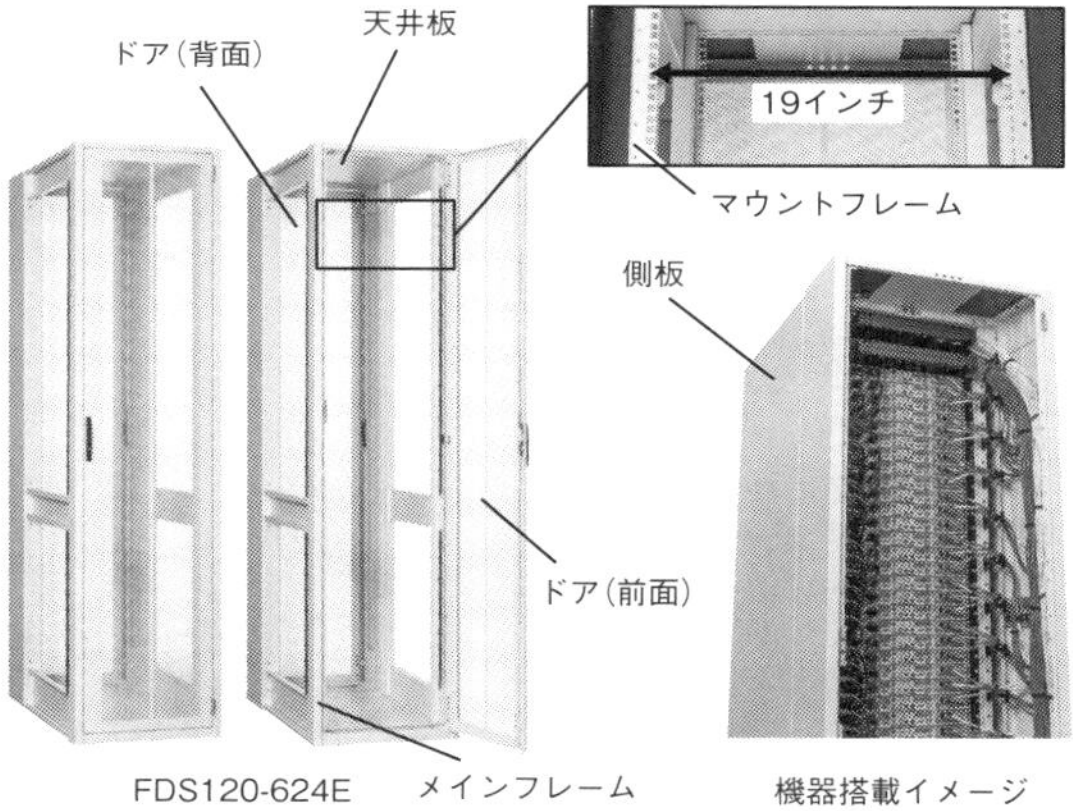

協力：日東工業株式会社「システムラックFDシリーズ」

19インチは世界共通です。このレールをマウントレールとよび、高さ方向に目盛りがあり、機器を固定できるように正方形の穴があけられています。この目盛りの単位をU（Unit）といい、いちばん薄い単位が1Uとなります。

データセンターをコロケーション（賃貸）契約する場合は、基本的には1ラックからとなります。一部のデータセンターでは、ラックを分割してコロケーションを行うこともあります。

なおラックでの使える電源容量やデータセンターの建物仕様によって値段が異なり

ます。最近のデータセンターでは1ラックあたり6kVAの電源供給が可能であることが多く、特別な要件によっては20kVAから30kVAまで対応が可能なデータセンターもあります。もちろん電源容量が上がるほど、契約金額も高くなります。

またコロケーション契約の規模が大きいユーザーの場合、スペース全体やワンフロアをまとめて借りることもあります。このような場合はユーザーが独自のラックを持ち込むこともあります。

データセンターを借りる際の検討

データセンターを借りる場合、1カ所だと災害時にサービスが停止するリスクが高いので、違う場所、例えば東京と横浜といった組み合わせで分散させることがあります。なかには数十㎞圏内ではまだ危ないということで、東京と関西または九州、北海道といった分け方をすることもあります。

データセンターを借りる場合は、最悪のシナリオを想定してデータセンターの場所を検討する必要があります。

データセンターのライフサイクル

データセンターを構築する際に検討しておくべきことは、データセンターの寿命をどのように想定し、どのタイミングから採算が取れるかを試算しておくことです。

データセンターの主要設備の寿命はだいたい15～20年といわれています。つまり、15～20年経つと、建物は使えても大規模修繕が必要となるのです。また、修繕できるようにあらかじめ予備スペースをデータセンター内に確保しておけば修繕も可能ですが、そのようなスペースがない場合は修繕が非常に困難となり、費用も大幅にかさみます。

修繕費などに多大な費用がかかるのは多くの電源、空調設備を備えるデータセンターならではの悩みです。したがって計画の際は、データセンターの修繕計画などのライフサイクルを理解したうえで、設備のグレードを決めることが大切です。

データセンタービジネスのプレイヤー

現在、データセンタービジネスにはどのような企業が参入しているのでしょうか。

「データセンターに関連するビジネス」の定義が難しいので、ここでは「データセンターコロケーションビジネス」、つまりデータセンターのスペースを貸し出すことを事業とする企業、そして、その事業を支える企業について説明します。

参入している企業を大きく分けると、データセンターを運営している企業、データセンターを建設・構築する企業に分けられます。データセンターをビジネスとして運営している企業の多くは大手ＳＩ企業や通信事業者など一般的にＩＴ企業と分類される企業です。ビジネスとしてはコロケーションやクラウドのインフラを提供しています。

ＩＴ企業以外で多いのは、土地を多く所有している企業です。電力会社、ガス会社、鉄道会社などがそれにあたります。ちょっと意外なのは運送業・流通業などですが、これらの会社は倉庫をもっています。倉庫は堅牢で天井が高いので、データセンターへの転用に向いているのです。

これらの企業は、自社の土地にデータセンターを建設し、前述した自社でも利用しながらコロケーションもするというビジネスモデルを展開しています。

ほかには、データセンターのワンフロアといった、まとまったスペースを借りて、また貸しする企業も多くいます（DC in DC）。

データセンターのユーザー企業

データセンターのユーザー企業はすべての業種・業態・規模といって構いませんが、最近目立つ業種を挙げてみましょう。ここでは、日本国内のデータセンターのコロケーションの利用ユーザーの傾向を説明します。

まず、すでに述べているようにクラウド事業者です。Amazon、Microsoft、Googleなどの海外大手クラウド事業者は、本国では自前のデータセンターをもっていますが、日本ではデータセンターをコロケーション契約で利用しています。

また、スマホやＰＣのアプリケーションサービスを提供している企業もそうです。セールスフォースなど、なかにはクラウド事業者とよぶほうがふさわしい企業もありますが、ビジネスアプリケーションをSaaS（Software as a Service）と称して提供している企業は、データセンターのビッグユーザーです。LINEなどもデータセンターを利用しています。オンラインゲームや動画配信サービスなどのエンターテイメント企業ももちろんそうです。

以前は多くのデータセンターを利用していた証券会社や銀行などの金融関連企業は、最近は減少傾向になっています。この要因は、システム構築の考えを自社の専用サーバーからクラウドへ移行していることにあります。クラウドを利用することによりコロケーションのスペースが結果として減ることになります。

クラウドの導入は多くの企業で進んでいて、コロケーションを利用していた企業が契約を変更し、より少ない契約スペースでクラウドを活用するというケースが増えています。

私たちは無意識にデータセンターを利用している

一部の機密性が極めて高い情報やサービスは、自前のデータセンターまたはネットワークから切り離されたサーバールームで運用されています。しかしながら、それ以外のほとんどは、クラウドサービスも含めて、データセンターに接続して利用しているのです。プライベートで使っているＰＣやスマホは例外なくデータセンターを利用していることになります。各端末で動作するアプリケーションは、ネットワークとつながっていないとバージョンアップやライセンス認証ができません。これはスマホを使っていればよく経験されていると思います。これらの基データはデータセンターにあり、無意識にデータセンターと通信することで、各アプリケーションを利用しているわけです。

なお、スマホだけではなくガラケーも同じです。メールをやりとりしている場合は、そのメールのデータもデータセンターを通じて相手先に届けられます。

つまり、データセンターはビジネスに限らず、すべての日常生活に密接に関わっているわけです。

［第３章］

建物、ＩＴ機器、運用システム……「データセンター」の構造とは

データセンターの四大要素

データセンターの構造を考えるにあたって重要なのは、ティアの考えでは、格付けをする際にどのような観点で判断するかです。ＪＤＣＣの評価基準を参考にすると次のように分類されます（図表６）。

建物、セキュリティ、電気設備、空調設備、通信設備、設備運用の六つの分類項目があることがお分かりでしょう。設備運用はデータセンターすべての設備に該当するため、個別分類としては外したいと思います。またセキュリティは、ウイルス対策などの情報セキュリティではなく、建物の入退室セキュリティという点になるので、建物の一部とみなします。また、表には「通信設備」があります。これはデータセンターのファシリティとして考える場合は、データセンター事業者側で通信設備まで管理するためです。

本書では通信設備に、データセンターを借りている側が持ち込むことになるサーバーなどのＩＴ機器も加えて、ＩＣＴ設備としています。

【図表6】 データセンターの評価基準 JDCC

分類	No.	評価項目	ティア1	ティア2	ティア3	ティア4	備考
建物（B） （建物として DC専用であるか否か）	1	建物用途 （建物としてDC専用であるか否か）	複数用途 複数テナント可	複数用途 複数テナント可	複数用途 単一テナント	DC専用 DC関連複数テナント	
	2	地震リスクに対する安全性 1) PMLによる評価の場合	PML 25~30% 未満	PML 20~25% 未満	PML 10~20% 未満	PML 10%未満	
		2) 建築基準法による評価の場合 ※1 官庁施設の総合耐震計画基準及び同解説（建設大臣官房庁営繕部監修、平成8年版）高さ60mを超える高層建築物、免震建物はⅠ類 ※2 今後50年間に10%の確立で発生する可能性のある予測震度（文部科学省　全国地震動予測地図）	1981年以前の建築基準法に準拠 耐震診断の結果、耐震補強不要と判断された場合 耐震補強が必要と判断され耐震補強を実施済みの場合		1981年6月改正の建築基準法に準拠	1981年6月改正の建築基準法に準拠、かつ耐震性能はⅡ類相当※1	震度6※2弱以下
			1981年以前の建築基準法に準拠 耐震診断の結果、耐震補強不要と判断された場合 耐震補強が必要と判断され耐震補強を実施済みの場合	1981年6月改正の建築基準法に準拠	1981年6月改正の建築基準法に準拠、かつ耐震性能はⅡ類相当※1	1981年6月改正の建築基準法に準拠、かつ耐震性能はⅠ類相当※1	震度6※2強以上
セキュリティ（S）	1	セキュリティ管理レベル	サーバ室	サーバ室	建物、 サーバ室	敷地、建物、 サーバ室、 ラック	
電気設備（E）	1	受電回線の冗長性	単一回線		複数回線（SNW、本線予備線、ループ）		
	2	電源回線の冗長性 （受電設備～UPS入力）	単一回線	単一回線	複数回線	複数回線 （ホットスタンバイ）	
	3	電源回線の冗長性 （UPS～サーバ室PDU）	単一回線	単一回線	複数回線	複数回線 （ホットスタンバイ）	
	4	自家発電設備の冗長性	規定無し	N	N	N＋1	
	5	UPS設備の冗長性	N	N	N＋1	N＋2	
空調設備（H）	1	熱源機器・空調機器の冗長性	N	N	N＋1	N＋2	
	2	熱源機器・空調機用電源経路の冗長性	単一経路	単一経路	複数経路	複数経路	
通信設備（T）	1	引き込み回線 キャリアの冗長性	単一回線 単一キャリア	単一回線 単一キャリア	複数回線 複数キャリア	複数回線 （複数管路） 複数キャリア	
	2	建物内ネットワーク 回線の冗長性	単一回線	単一回線	複数回線	複数回線 （複数管路）	
設備運用（M）	1	常駐管理体制	規定無し	規定無し	8時間／日以上の常駐管理	24時間×365日の常駐管理	
	2	運用マネジメントの仕組みと運用（運用要員の育成プログラムなど含む）	運用体制有り	運用要員育成プログラムを含む規定された運用体制有り	ISO27001はFISC運用基準において、設備運用に関する項目に準拠	ISO27001の認証又はFISC運用基準に準拠	

データセンターファシリスタンダードVer2.3（日本データセンター協会）より著者作成

以上から、データセンターのインフラを語る観点としては大きく次の四つの要素があるといえます。

①建物
床や天井、消火設備、耐震構造、物理セキュリティなど
②電気設備
電力供給方式、非常用発電機、UPS（無停電電源装置）など
③空調設備
冷却装置、アイルコンテインメントなど
④ICT設備
通信機器、ケーブル、サーバー、ストレージなど

データセンターはどのような建物なのか？

まず、データセンターとはどのような要件を備えた建物なのかというと、基本的には災

害に強い堅牢性を備え、災害による被害が発生しても極小化でき、さらにセキュリティが万全な建物だとまとめられます。

床が二重床で強固なコンクリート

データセンターの建物の第一の特徴は、耐荷重が一般ビルに比べて圧倒的に優れていることです。

普通の商業オフィスでは、1㎡あたり300kgの重量に耐えられれば、十分安全基準を満たしています。かなりグレードの高いオフィスビルでも局所的に500kgとする程度です。確かに、普通の家具などでは300kgを超えるものはほとんどないので十分な強度です。

一方、データセンターでは、ラックになるべく多くの機器を収納して管理します。このラック単体の重量が150kgぐらいあります。ラックの設置面積は仮に幅600㎜、奥行き1200㎜としても0・72㎡と1㎡未満です。サーバーは1台30kg程度で20台ぐらい搭載できます。この組み合わせを見る限りでも、サーバーとラックで750kgぐらいの重さになり得ると想定する必要があります。

したがって、データセンターは1㎡あたり1tの重量に耐えられるように作る必要があります。データセンターに設置する機器では特殊な機器もあり、さらに重量があるものもあります。安全性を考慮して、1㎡あたり1・5~2tぐらいに耐えられるように作られているデータセンターも多くあります。

わりと新しいオフィスビルにお勤めの方であれば、さまざまなケーブル類を収納するために床がフリーアクセス（英語ではRaised Floor）になっていることをご存知でしょう。オフィスではカーペットの下になりますが、床板が剥がれるようになっていて、その下にケーブル類が敷いてあるのです。実際に剥がしたことのある人もいるかもしれません。一般のオフィスビルであれば、通常使っている床面とコンクリート面（このコンクリート面をスラブとよびます）の高さはだいたい5~10㎝といったところです。

これがデータセンターだと、床面とスラブ面の距離が60~80㎝ぐらいあります。もちろんサーバーが設置されているスペースにはカーペットはなく、フリーアクセスフロアタイルやグリルとよばれるメッシュ状のタイルが床面に敷き詰められています。

なお、床面には重要なケーブル類が敷設されているため、各タイルは特殊ビスなどで固定されています。また、タイル自体も強度の高いものを使用しています。これはデータセンター内で重い機器が運搬されることを想定し、通路を含めてそのような負荷に耐えられるように設計されているのです。

天井が高い

データセンターは窓がとても少ないつくりになっているため階数が分かりにくいのですが、実際に中に入ってみると、想像するよりもずっと階数が少ないので驚くかと思います。

試しに階段を上り下りしてみると、1階分の段数がとても多く感じるはずです。

なぜこのようになっているかというと、耐荷重を高めるためコンクリートスラブが一般のビルより厚く、さらに各階の天井が高いためです。

コンクリートスラブが厚いのは前述したとおりです。天井が高いのはフリーアクセスフロアとしての床高があること、さらにＩＴラックの上部にも照明や消火設備を配置することに加え、空調の設計上、空気の循環のために一定のスペースが必要だからです。

そのため一般的なビルの1階分の高さが３ｍぐらいのところ、データセンターでは５ｍぐらいになり、同じ階数であればデータセンターのほうが高くなります。

壁は防火壁、消火はガスで

データセンターの壁というと外側に面した外壁、そして各部屋を分ける各部屋間の壁があります。外壁は耐震構造ということもあり、強固なだけでなく、中のデータが盗まれないような電磁シールドを備えているデータセンターもあります。窓もほとんどないので、見た目では無機質な建物に見えます。

内部の壁も一般のビルとは異なる点が多く見られます。まず、火災に対する予防策としてデータセンターの各部屋は区画化がされており、燃えにくい壁材を駆使し、火事の延焼を食い止める工夫をします。また、壁を貫通するケーブル用の開口や管路についても耐火材で徹底的に塞ぐようにしています。

万一サーバールーム内で火災が発生した場合は、すぐに消火しなければなりませんが、スプリンクラーの水で消火をすることはありません。理由としては、水を放出した際に設置されているコンピューターを水浸しにしてしまい、火は消えても肝心なコンピューターが使えなくなるリスクがあるからです。そのため、水に代わってガスを噴射し消火します。ガスによる消火では、大気中の酸素濃度を落とし、火がつかない状態にします。

したがって人体に害のない消火ガスとはいえ、酸素濃度を落とすことは室内の人に危険性があるため、ガスの噴射は必ずすべての人を対象の部屋から退避させたあとに行います。

地震対策も万全に

大地震が来てもコンピューターシステムを停止させないため、データセンターでは可能な限りの地震対策が施されています。

まず、立地条件としては、活断層があるような地震発生の確率が高い場所は避けます。また、液状化現象の可能性がある地域では、影響を受けないように杭を硬い地層まで打ち込むなどの対策を行います。

大地震が発生しても建造物が倒壊せず、中にいる人が避難できるような強度のある建物の構造を耐震構造といいます。地震の多い日本のデータセンターでは、耐震構造になっていることは当然です。

また、ＩＴ機器に地震の衝撃を与えないように免震構造になっています。ＩＴ機器は瞬発的な地震の衝撃に弱く、転倒、落下などの外的損傷がなくても故障する可能性があるためです。免震装置は建物全体をカバーしているタイプが一般的ですが、一定のフロア以上を免震構造にするタイプ、フロアの一部エリアもしくはラック単体レベルで行うタイプなどいくつか種類があります。

なお、免震装置の上にある建物は地震の際にゆっくりと動きますが、実際は体感できない程度のものです。免震装置はゆっくり揺れながら地震の衝撃を吸収し、最大60㎝くらいまで水平方向に動くようになっています。

セキュリティの基本は入らせない・出させない

続いて、入退館や入退室の物理セキュリティ（以下、単にセキュリティとする）を高める方策についてです。セキュリティを高める基本は、不審者をできる限り中に侵入させないようにすることと、万が一侵入されたら簡単には出られないようにすることです。

データセンターでは、この基本に沿ってセキュリティを高めるためのさまざまな工夫をしています。

場所を分かりにくくしている

データセンターは利用ユーザーのうち、一定のアクセス権限のある人以外は入室を認めていません。したがって極力、所在地の情報は、限られた人にしか伝えられません。建物自体に「データセンター」と看板を出すこともありませんし、ネット上に住所を掲載することもないのです。

そのいちばんの理由はセキュリティの観点です。侵入させる経路を少なくするため、出入り口なども限定されています。また、窓ガラスが少ないのは空調効率を高めるためでもありますが、セキュリティの側面からでもあります。

逆にいえば、ある程度の大きさがあり、看板も表札も窓ガラスもないような建物がデータセンターである確率は高いということになります。

柵、植栽、監視カメラ、警備員で抑止効果

一般的なオフィスビルでもされているセキュリティ対策は、データセンターでも当然されています。例えば、柵を作る、植栽などで人の出入りを制限する、関係者以外入れないことを明記する、監視カメラを設置する、適所に警備員を配置するなどです。

これらはすべて抑止効果を狙ったものです。また、建物の敷地内にある駐車場スペースもデータセンターの一部としてセキュリティ管理されています。つまり人の出入りだけでなく、郵便配達を含めた車などもその範囲となります。

何重もの本人認証によるセキュリティ

一般の方がセキュリティと聞いてまず思い浮かぶのは、セキュリティカードによる認証でしょう。データセンターにも当然セキュリティカードがあります。関係者であれば、顔写真付きのＩＤカードが用意されます。役割によって権限が細かく設定されており、入れる場所も制限されます。

部外者が訪問する場合には、事前に所属や名前などを登録し、ゲスト用のセキュリティカードを貸し出します。これは最初の扉（駅の改札のようなフラッパーゲートになっていることが多い）まで入れるもので、そこから先はＩＤカードをもつ関係者の同伴なしでは進めないようになっています。カバンや携帯電話、ノートＰＣ、ＳＤメモリなどの持ち込みは厳しく制限・管理されていることが多いです。

いったんデータセンター内に入ったら、あとは至るところでセキュリティカードをかざして入退室することになります。これにより今、誰がどこにいるかを特定することができます。

なお、セキュリティカードは他人との貸し借りができるため、本人認証としては万全ではありません。そこで生体認証を採用しているデータセンターが一般的です。各カードに指紋、静脈、手形、顔、虹彩などさまざまな認証手段を加えています。

データセンターは迷路のような施設

万一、不審者に侵入された場合、簡単には出られないような工夫もされています。例えば、入室者に紛れて入室できたとしても、セキュリティカードなどの本人認証がなければ出られないようになっています。

また、データセンターには丁寧な標識がほとんどなく、慣れていない人には迷路のように感じるかもしれません。道が複雑になっているというよりも、意図的に特徴がないようにしているので、関係者でないと各部屋へのアクセスが分かりにくくなっているのです。

不審者が侵入した場合、その場所を簡単に特定することができるよう、あらゆる箇所にセキュリティカメラが設置されています。もちろん、それらの映像は中央監視室でモニタリングされており、その映像も記録に残されています。

データセンターの電気設備には最大限の可用性が求められる

次に、二つ目の要素としてデータセンターの電気設備に求められることは、安定した電源を各コンピューターに提供すること、すなわち非常に高い可用性です。ノートPCなどと違い、サーバー機器にはバッテリーが搭載されていません。したがって停電すれば、その瞬間に停止してしまいます。電源が停止すると処理が停止するだけでなく、場合によっては故障してしまいます。一度停止したシステムは電源が回復したあともすぐには復旧しないため、完全にシステム稼働を再開させるまでに一定の時間がかかり、その際のビジネス損失は大きい場合では数千億円になることもあります。

したがって、データセンターの電気設備には最大限の可用性が求められることになります。電気はコンピューターだけでなく、建物全体をカバーし、セキュリティも空調機器、共用部の施設も含め建物すべての運用の基本となります。建物内部において、どの電源を優先的に確保するかもデータセンターでは重要となります。

単一の機器や設備構成で100%に近い可用性を実現することは極めて困難です。そのためデータセンターでは、機器の冗長化、配線を複数系統にすることで可用性を上げていきます。さらに無停電電源装置、非常用発電機を用意し、それらを冗長構成にすることで限りなく100%に近い可用性を実現しています。

電源は二系統から取られている

データセンターに設置されている各ICT機器は、電源を二系統から取ることが基本です。各機器が設置されるラックの後部には異なる系統の電源コンセントバーが用意されています。一般的なサーバーは電源ユニット（Power Supply Unit）が2個搭載されているので、それぞれの電源ケーブルを異なる電源系統に接続します。なお、2本の電源ケーブルのどちらかより電力が供給されていれば稼働する仕組みになっています。

このラックに配置された二系統の電源ですが、建物内部の無停電電源装置から分けられ、各部屋の分電盤を通じ、ラックまで用意されています。途中に使われる分電盤やケーブルも当然ながら異なるものを使います。細かく分ける理由としては、共通した箇所で問題があった場合、ラックに用意してある両方の電源が止まるからです。二つの完全に分かれた電源を用意することで、コンピューターに安全な電力を届けられるわけです。

非常用発電機も完備

データセンターでは、停電のリスクをできるだけ回避するために、別々の発電所から送電してもらうなどの対策を取っていますが、それでも大地震など大規模な災害の場合には停電することもあり得ます。

そこで、万一、停電が発生した場合に備えて、データセンターでは必ず（ティア1でも）、非常用発電機を用意しています。

非常用発電機にはディーゼルエンジンを使うタイプ、もしくはガスタービンエンジンを使うタイプがあります。燃料用のオイルをどれくらい備蓄しているかで、非常用発電機の稼働時間が決まります。東京のデータセンターでは通常、24～48時間稼働するようになっています。非常用発電機という名のとおり、通常は運転していません。ただ、万一のときに正確に起動できるよう、定期的にメンテナンスを行っています。非常用発電機の冗長性も可用性を高めるうえでは必要となります。ただし、大きな設備投資となるため、十分な検討が必要です。

UPS（無停電電源装置）の二つの役割

UPSとは、“Uninterruptible Power Supply”（無停電電源装置）の略で、停電によって電力が断たれたときも電力を供給し続ける装置です。通常時には電力網からの商用電源とよばれる一般的な交流電源を受け取ります。停電時など電力が安定しない状況の場合、UPSが役割を担います。

UPSはバッテリーと接続されており、バッテリーの容量でサーバーに電力を供給できる時間が決まります。よく間違えられるのですが、このバッテリーでは長時間データセンターに電力を送ることはできません。データセンターで通常使われているものは、五分から十数分程度供給できるように設計されています。五分で大丈夫なのかと心配されると思いますが、ＵＰＳの最大の役割は、非常用発電機へ電源を切り換える際の時間稼ぎです。停電が発生し、データセンターの電源が確保できない場合、非常用発電機が起動します。停電を検知しても発電機が安定稼働状態になるまでに1分程度のタイムラグが発生します。

その間のつなぎのための電力を供給できれば、データセンターのＵＰＳとしては十分なのです。なお、停電が発生したときにＵＰＳが稼働しなければ、その瞬間にサーバーが停止することになりますので、ＵＰＳにも冗長性をもたせるようにしています。

ＵＰＳには停電時のつなぎのほかに、もう一つ重要な働きがあります。それは整流機能で、より安定した交流電源をデータセンター内に提供する役割です。

整流とは、文字どおり流れを整えるという意味です。データセンターが受け取る電気、商用電源は交流です。交流は一定の周期で電圧のプラス・マイナスが変化する電気で、東日本では50Hz（ヘルツ）、西日本では60Hzの周波数となっています。Hzとは周波数の単位で、

1秒間に何回、電気のプラスとマイナスが入れ替わるかを示しています。

雷や送電経路に問題が発生すると、交流では、例えば1秒未満の瞬時停電、瞬時電圧低下、電圧変動、過電圧・過電流、ノイズ（波形の乱れ）などの異常が発生することがあります。これらの変則的な電圧、電流をデータセンター内のICT機器に送ることは機器の故障の要因となります。そのため、UPSを経由させることで、それらの不規則な電圧の波形を整え、正しい電圧をデータセンター内に送ることが可能となります。


少し複雑なのですが、どのように整えるかというメカニズムを簡単に説明します。UPSはバッテリーと接続され、緊急時にはそのバッテリーを使って電源を供給します。そのバッテリーとUPSの間には直流電源が流れています。一度UPSで交流を直流に変換し、またバッテリー経由で来た電源を直流から交流に戻します。なお、緊急時以外も蓄電池の充電のためUPSとバッテリーの間では電気のやりとりがされています。この直流から交流に戻す際に、正しい波形に変換されているわけです。

なおUPSの分岐ブレーカーから各部屋に配置されている分電盤に接続され、最終的にはITラックまでつながっていきます。

以上、データセンターの電気設備として、電源系統、非常用発電機、UPSを見てきました。データセンターでは、これらを冗長化することで、限りなく100％に近い電気設備の可用性を実現しています。

空調設備が重要な理由

続いて、三つ目の要素である空調設備について見ていきましょう。

現在、データセンターに設置されているすべてのコンピューターは電力で稼働し、その際に熱を放出します。最近では、1ラックあたり6kW程度発熱するのが標準的といわれています。先ほど説明しましたが、ラックの寸法は1㎡弱です。1㎡未満のスペースに6kW発熱するとなると、イメージとしては、平均的な家庭でフルに電力を使う容量に匹敵する電力量を使用していることになります。

ちなみに家庭用の電気ストーブは１０００Ｗ（１ｋＷ）のものが多いようです。つまり、電気ストーブ約６個を縦横１ｍの空間に置くとどれくらい熱くなるか考えれば、データセンターでどのぐらいの熱が発生しているか想像がつくのではないでしょうか。

要するにデータセンターに設置しているサーバー機器はストーブのようなものであり、放っておくと室温が熱くなり過ぎてしまうということです。そうなるとコンピューターは熱暴走といって誤動作するようになり、最終的には故障します。そのためデータセンターは、なんとしてもサーバー機器を冷却しないといけないのです。

20ｋＷを超える対策を講じなければいけない時代が目の前に

６ｋＷは標準的なサーバーをラックに効率良く設置した場合です。1ラックに1台あたりの消費電力（熱負荷）が３００Ｗのサーバーを20台設置すると６ｋＷになります。

ただ、最近は高度な計算処理や、ＡＩなどに代表される並列計算を多用する処理など、以前とは比較にならないほど電力を消費する（すなわち熱負荷も多い）業務が出てきています。これらだと、1サーバーあたり1000W（1kW）以上のものも多くあり、1㎡あたり10～20kWに達することも珍しくありません。それらの熱負荷に対応した冷却能力を提供しているデータセンターも存在します。局所的には30kWを超える発熱にも対応しているデータセンターもありますが、その場合は周囲のラックの電源使用量を制限する必要も出てきます。

一般的なデータセンターでは15kWを超えると対応に頭を抱えます。実際、あるユーザーが1ラックあたり20kWを超える発熱量になるラック構成でデータセンターに問い合わせをしたところ、周辺ではどのデータセンターも対応できず利用を諦めた事例もあります。そのケースでは6kWの熱負荷になるように設置するラックを分けるしか方法がありませんでした。

それなら、50～70kWとされるスーパーコンピューターはどうしているのでしょうか。

これについては特殊な方法で冷却しています。一般的なデータセンターではサーバーの出入りが頻繁なので取り入れることができませんが、スーパーコンピューターのように移設を考えないものであれば対策はあるのです。

しかし、スーパーコンピューターではない一般のサーバーでも、これからはＡＩやビッグデータ分析などが高度化し、ますます消費電力が増えることは目に見えています。省エネ化も進んでいますが、それ以上に小型化が進んでいるため、単位体積あたりの発熱量が増える一方なのです。つまり20ｋＷを超える構成が当たり前になる時代が目の前に迫っているといえます。

データセンターの空調方式

現時点での空調設備には大きく空冷式と水冷式があります。いずれのタイプを採用するにしてもデータセンターのサーバールームでの使われ方は一緒です。一般的には両タイプともサーバールームでは部屋の両端通路側に配置され、床下に冷たい風を送風します。また、熱は決して消えることはないので、必ず建物の外に吐き出す必要があります。したがって両タイプともに室内機、そして室外に熱を出す設備が必要です。

【図表7】 水冷式冷却装置

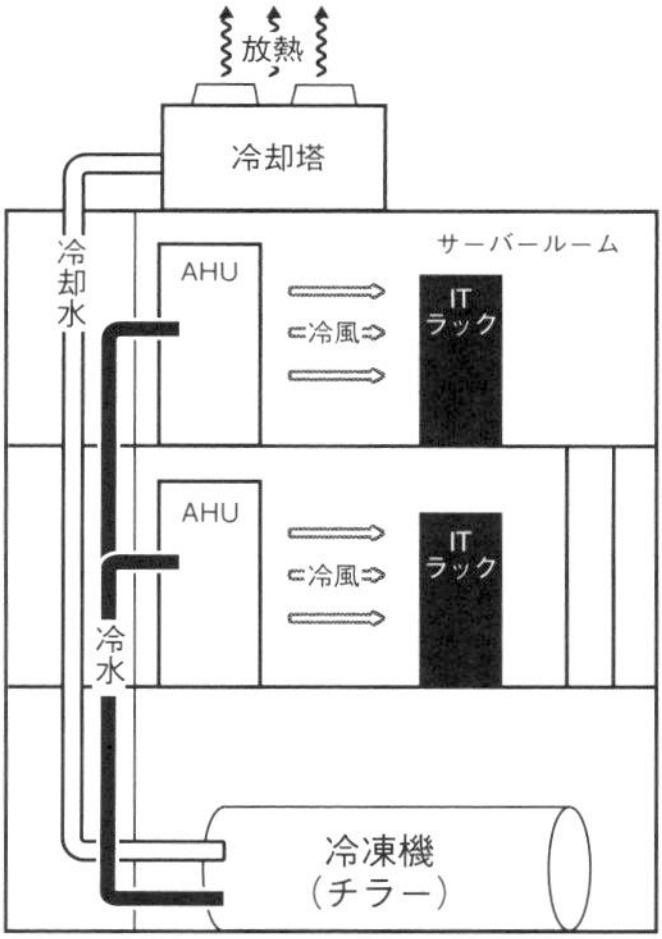

著者作成

どちらの方式が良いかという議論は非常に難しく、データセンターの規模などによって優位性が変わってきます。一般的に、規模の小さいデータセンターでは空冷式がより効果的です。理由としては構成する機器が室内機と室外機の一対構成になっているためです。

イメージとしては家庭のエアコンを大きくした感じで、家の中に室内機、バルコニーに室外機がある構成です。空冷式を採用すると、大量の室外機置き場を確保する必要があります。データセンターに配置する室内機と同数の室外機が必要になるのです。

水冷式は、比較的大規模なデータセンターで有効です。水冷式の空調機は冷たい水を室内機に循環させ冷風を送風します。その際には冷凍機も必要になります。また熱を外に出す役割として冷却塔という装置も必要です。

水の流れとしては、冷却塔から冷凍機の間を巡回している流れ（冷却水）、冷凍機と室内機を巡回している流れ（冷水）があり、その過程で水を冷やし、また熱を外へ放出する仕組みです（図表7）。

詳細な説明は省きますが簡単にいうと各設備の間を循環しているのが水であるため、一つの冷凍機を多くの室内機が共有することが可能です。また、冬の寒い時期は冷却塔から流れる冷たい水を活用することで、冷凍機を止めて運転することもできます。

最近では省エネの観点から、フリークーリングとよばれる、電力をなるべく使わず自然の力を利用する動きが進んでいます。先ほどの冷凍機を運転させず冷水を作るようにしたり、冬の時期に外気を直接室内に取り込むような方法です。ただ外気を取り入れる際は温度・湿度の調整が必要になり、また、空気中に含まれる粉塵防止のフィルターが必要になるので、それほど単純ではありません。

この省エネの動きは今後も続いていくと思われます。

空調効率を高めるアイルコンテインメント

データセンターでは、効率よく冷却するためにさまざまな工夫がされています。

特に重要な技術がアイルコンテインメントとよばれるもので、コールドアイルコンテインメントシステム（CACS）とホットアイルコンテインメントシステム（HACS）の二種類があります。ちなみにアイル（Aisle）は通路、コンテインメント（Containment）は封じ込めの意味です。

空調設備からの冷気は、室内で発生しているさまざまな熱と混ざり合うことで、本来の冷たい温度から上昇し、空調設備の効率が落ちてしまいます。また温度だけでなく、風量をコントロールすることがサーバーの熱を効果的に取り除くことにつながり

【図表8】 ホットアイルコンテインメント

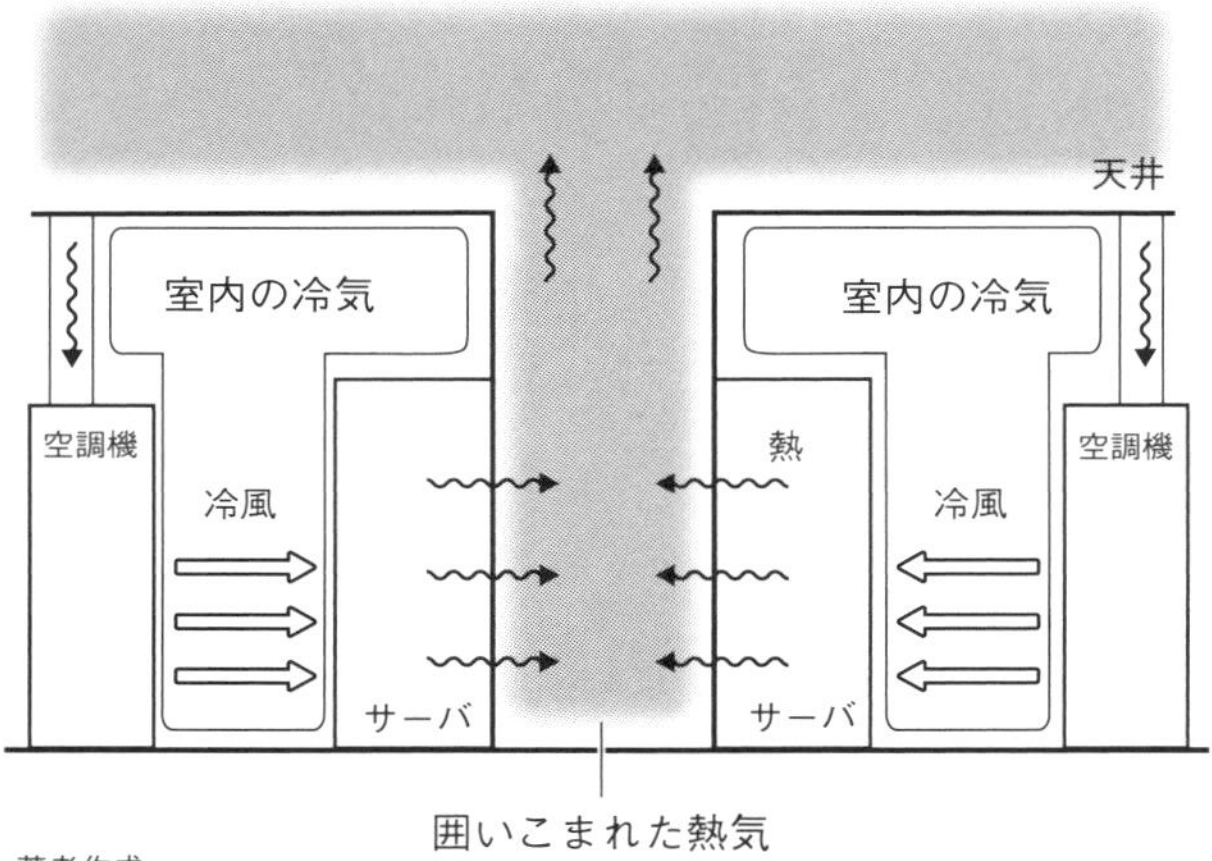

著者作成

ます。そこで冷気と暖気を分けるために、冷気か暖気のどちらかの通り道を封鎖してしまうことを考えたのです。冷気を封じ込めるのがコールドアイルコンテインメント、暖気を封じ込めるのがホットアイルコンテインメントです(図表8)。

基本的には不燃性のカーテンやパネルで冷気または暖気の通り道を区切り、空気の流れを作ります。ホットアイルコンテインメントについては、仕切る以外に強制的に熱をラック内から取り出すタイプもあります。

それぞれメリットとデメリット、向き

不向きがあります。専門的になり過ぎるので割愛しますが、熱負荷の高いＩＣＴ機器にはホットアイルコンテインメントのほうが優れているとされています。

通信設備まではデータセンターの責任、ＩＴ機器はユーザーの責任

最後にＩＣＴ設備について説明します。

ここまで見てきた建物、電気設備、空調設備は原則としてデータセンター側が用意するもので、責任範囲はデータセンター側にあるといえます（ただし、フロア単位で借りる場合には、これらの設備および通信設備もユーザー側の責任で用意することがあります）。

ＩＣＴ設備としてデータセンターが管理する範囲は通信設備と呼ばれるものです。具体的にはデータセンター外部への通信接続に必要な機器を収容するスペース、ネットワークケーブル（通信用の配線）が対象となります。データセンターでイメージされる大量のコンピューター（サーバー、ストレージなど）は利用者であるユーザーが用意することが一般的です。なおインターネット網やほかのデータセンターへの接続といった外部回線の通

信品質は通信事業者の責任区分となります。
またデータセンター内で利用される一般のユーザー向けの携帯電話用のアンテナやインターネット接続の Wi-fi 環境もデータセンターの管理となります。

通信設備の重要拠点MDF室

データ処理を外部とインターネット網や独自の専用回線を通じて行うには通信設備が重要となります。そのような通信設備が集約されている部屋をMDF室とよびます。MDF室には各通信キャリアの通信ケーブルが引き込まれています。MDF室自体は一般のビルなどにも配置されていると思いますが、データセンターの特徴としては、MDF室に関しても冗長構成、つまり、複数あることが一般的です。もちろん、外部から引き込まれるケーブルについてもルート分けがされ、断線のリスクがないように工夫がされています。

MDF室はデータセンターでの通信の中心となります。この部屋から各部屋に直接接続すると多くのケーブルを敷設することになり、また保守のしやすさにも問題があるため、MDF室の分岐室のような部屋をフロアごとに分けて配置します。それらをIDF室とよび、各フロアでの配線などはＩＤＦ室を通じて接続をとります。

高速通信用のケーブル接続

データセンターに配置されるＩＣＴ機器は高速で相互連携、通信する必要があります。その高速通信のカギとなるのが、機器間を接続する通信ケーブルです。一般のオフィスなどで利用されているようなWi-fiはデータセンターのサーバーなどでは利用せず、物理的な配線により接続されています。具体的な通信速度でいうと1ＧＢから10ＧＢの速度でデータのやり取りをしています。今後は40ＧＢの速度での通信も検討しているところです。

その高速通信を支えるのが「ツイストペアケーブル」とよばれる「メタルケーブル」、そして「光ケーブル」です。メタルケーブルはケーブル自体が銅線でできていて、電気信号を流して通信をします。光ケーブルは、グラスファイバーの細いガラス管の中に光を通してデータのやりとりをします。ともに最低10ＧＢの速度に耐えうる仕様となるため、メタルケーブルではカテゴリー6Aというクラスかそれ以上のクラスが使われます。光ケーブルはメタルケーブルより高速通信対応が可能であるだけでなく、データセンター内の長い距離の接続においてもパフォーマンスを落とすことなく通信できることが特徴です。

メタルケーブルは仕様上、100mまでが限界となります。まったくつながらないわけではありませんが、減衰で通信速度が極端に落ちてしまいます。したがって、機器の間の接続が100mを超える場合は光ケーブルを使うことになります。

ラックマウント型サーバー

データセンターのICT機器が配置されている部屋は「サーバールーム」ともよばれます。データセンターの主要な装置はサーバーであり、一般的にはICT機器の構成の7割くらいを占めています。サーバーの役割は非常に多岐にわたるので、ここではハード面に関して説明します。

スーパーコンピューターのような特殊機器を除き、すべてのサーバーはラックに搭載し運用されます。市販のサーバーは横幅が19インチとなっているため、どこのデータセンターでもラック内部に設置が可能です。機器をラック内に搭載することができるためラックマウントサーバーともよばれます。

横幅は均一ですが、高さは機種によって異なります。ただしラック内で定められたレールピッチであるユニット（U）にあわせて作られています。現在、多く使われているのがいちばん薄型である1Uサーバーです。なお1Uは約45㎜になります。

ラックマウント型サーバーは1Uが最も薄く、それ以上は2U、3U、とUの整数倍で高さが増していきます。各サーバーにはCPUが搭載されており、計算処理をする際にこのCPUが熱をもち始めると、その熱を放出するために、サーバーの前面にファンを配置し、熱を背面に吐き出す構造になっています。

各サーバーには電源ケーブルや通信ケーブルが必要となります。そのため1ラックに15台を搭載する際には、これらのケーブルをきちんと整理しないと熱がこもってしまったり、接続の不具合で機能しない場合もあります。

サーバーを集約させスペースやケーブル数などを減らす大型サーバーは、ブレードサーバーとよばれています。例としては、８Ｕの筐体に14枚程度のブレード（刃）とよばれる薄型のサーバーを差し込むものがあります。１Ｕサーバーで14Ｕ使っていたものを８Ｕに集約でき、より限られたスペースで計算処理ができることになります。ただ注意しないといけないのは、電力およびそこから発生する熱量です。機種にもよりますが、一般的にブレードサーバーは１台で４ｋＷ程度の電力を消費します。ラック内に複数台搭載することはスペース的には可能ですが、空調能力が追い付かない可能性があるので注意が必要です。

データセンターのストレージ

データセンターで二番目に多く使われるＩＣＴ機器がストレージ（記憶装置）とよばれるデータを保管する機器です。データセンターによってはデータ保存をメインで行う場合は、ストレージがより多いデータセンタースペースを使うことになります。ストレージはサーバーのようにラックマウント型のものもあれば、特殊なラックもしくは筐体をもつものまでさまざまです。

サーバーとの接続方式は、ＳＡＮ（Storage Area Network）とよばれる独自のネットワークで行うことが多いです。もちろん一般的なＬＡＮのなかでデータ通信をサーバーとストレージ間で行うことも可能ですが、サーバー間の通信速度を遅らせることを考慮し、分けたストレージ独自のネットワーク網を作るわけです。なお、ＳＡＮを構築する際に大量のファイバーケーブルを敷設します。サーバーごとに直接ストレージにつながるため、つながれる台数によってはラックあたり数百本のファイバーケーブルが接続されることになります。

最近はＨＣＩ（ハイパーコンバージドインフラストラクチャー）という、一つの筐体の中にＣＰＵ＋ストレージ（つまりＰＣと同様のもの）が複数搭載された機器が登場し、次世代仮想化インフラの有力な選択肢となっています。これは物理的には複数のＰＣが1カ所に集められたものなのですが、ストレージを共有するような仮想化が簡単にできるようになっています。そのため拡張性が高く、コストパフォーマンスに優れるため、ここ数年でユーザーが大幅に増え、データセンターにも数多く設置されるようになっています。

ネットワークスイッチ

データセンターから外部、またデータセンター内の機器間を結ぶ重要な役割を果たすのがネットワーク機器です。設計方式にもよりますが、全体の1~2割弱のスペースを占めるように配置されています。ネットワーク機器の重要な役割はいかに安全に、かつ高速でデータのやりとりを確保するかです。

ネットワークでは設計時に階層を明確に分けていきます。データセンターで利用されるさまざまなシステムの重要度、業務内容からグループ化し、かつアクセスできる権限などを含めて設計します。

ネットワークスイッチのなかでもいちばん重要とされるのが、すべての大元に位置するコアスイッチという機器です。外部との接続ポイントに設置されますので、このスイッチが壊れると通信が途絶えてしまいます。電源設備同様にＩＣＴ機器も冗長構成を組む必要がありますが、なかでもいちばん重要な箇所がこのネットワークのコアスイッチです。私の経験でも、一台のコアスイッチの不具合で８００台のサーバーに影響が出たことがあります。幸いにして冗長構成のおかげで大きな問題になりませんでしたが、予防対策がなかったら大事故になるところでした。

ネットワーク機器全般にいえることはケーブル数が圧倒的に多くなる、ということです。ＳＡＮの接続でストレージラックでもケーブルが多くなると説明しましたが、ネットワーク用のラックはさらに多くなる可能性があります。きちんとラック内の配線およびエアフローを管理する必要があります。なお、大量のケーブルを収納することから、ネットワーク用のラックは通常より幅の広いタイプを使うことが多いです。これはケーブルが多いため一般的なラックでは十分な冷気を吸気できないからです。

ＡＩ（人工知能）による影響と変化

ＩＣＴ機器の現状については以上ですが、最近のトレンドについて少しだけお話ししましょう。ＡＩ（人工知能）の影響とノンブランドサーバーについてです。

近年、ＡＩが台頭しています。ほんの数年前には研究所などにしかＡＩが稼働している機器はありませんでしたが、最近ではデータセンターにも設置されるようになっています。ＡＩにもいろいろな種類がありますが、ニューラルネットワークという人間の神経系を模倣したネットワークを駆使する、ディープラーニング（深層学習）という手法に大きな期待が集まっています。

ニューラルネットワークはＧＰＵという、本来は画像処理用の演算装置を複数組み合わせて構成します。つまり、一つのサーバーの筐体内に複数のＧＰＵが搭載されたコンピューターということになり、このようなサーバーをＧＰＵサーバーとよびます。ＧＰＵサーバーには一般的なコンピューターの演算装置であるＣＰＵも使われています。

そのため、一般的なサーバーより多くの電力を消費することになります。

ＡＷＳなどの大手クラウド事業者が、ディープラーニングのサービスを提供しています。また、大手企業も自社にディープラーニングの環境を構築し始めました。そのため、データセンターにも多数のＧＰＵサーバーが設置されるようになってきています。

ただＧＰＵは、ＣＰＵよりも発熱量が多いうえに、ディープラーニング目的では大量のＧＰＵサーバーが使われることになります。そのため従来のデータセンターの空調設備では冷却が困難な場合もあり、改善策が求められます。

進むメーカー統合とノンブランド化

２０１５年にＰＣメーカーのデル（Dell）が、ストレージメーカーのＥＭＣを８兆円で買収すると発表して、ＩＴ業界は騒然となりました。２０１６年に買収は完了しましたが、今後もコンピューターメーカーの大型合併は次々と起こることが予想されます。メーカーは淘汰の時代に入っていて、大型合併で技術と規模の両方で優位に立たないと生き残れなくなっているのです。

なぜメーカーは淘汰の時代に入ったのでしょうか。さまざまな理由がありますが、大きな理由の一つは、Google、Meta（旧Facebook）、Microsoftなど米クラウド大手のサーバー調達方法の変化にあります。クラウド大手企業はハイパースケールデータセンターに求められる仕様の実現、運用の容易性、エネルギー効率向上や購入費用の削減などのために、自社開発したサーバーやネットワーク機器を台湾などのＯＤＭ（Original Design Manufacturing）に直接製造委託しています。いまやこのＯＤＭダイレクトの市場シェアは、ＨＰＥやデルのシェアを上回っています。

この流れは２０１１年にFacebookが自社で設計したデータセンターの仕様を公開し、オープンソース化することによって、業界全体の進化を促そうと始めたオープン・コンピュート・プロジェクト（ＯＣＰ）に端を発しています。Alibaba、Tencent、Baiduといった中国のクラウド大手も参加し、現在２４０社以上の企業が推進しているＯＣＰのグローバルなコミュニティ活動は、オープンで効率的なクラウドハードウェアを世界規模で提供していく役割を果たし、これまでのサーバー設計・製造・調達の構造を大きく変化させていくと見られています。

［第4章］

デジタルトランスフォーメーションが本格化「データセンター」が抱える課題

データセンターの変革が求められている

データセンターの定義・歴史・規格・基準・ビジネスなどについて説明してきました。さらに、データセンターの四大要素（建物・電気設備・空調設備・ICT設備）についても詳しく見てきましたが、これからのデータセンターは従来のままでよいのかというとそうではありません。今後、予想される社会の変化に対して、従来のデータセンターの仕組みのまま拡張するだけでは、役割を果たすことはできないでしょう。私は、根本的な変革が必要だと考えています。

デジタルトランスフォーメーションが本格化する

データセンターの変革が求められる大きな理由に、今後、デジタルトランスフォーメーション（以下、DXとする）が大きく進展していくことが挙げられます。

DXとは、2004年にスウェーデンのウメオ大学のエリック・ストルターマン教授が提唱した「ITの浸透が、人々の生活をあらゆる面でより良い方向に変化させる」という概念です。具体的にはＡＩやＩｏＴ、ビッグデータなどを活用して仕事や生活のあり方を根本的に変革することです。

ＤＸによる生活や企業活動の変化はあらゆる分野に及びます。医療・健康では遠隔医療・ウェアラブル健康モニタリング・ロボット介護など。エンターテイメントでは、ＶＲやＡＲによるさまざまな疑似体験。交通分野では自動運転やエコな移動手段の実現。工場・オフィスでは、ＩｏＴによる効率的な管理、エネルギー管理システムによる省エネやセキュアなテレワーク環境の実現など。現時点で予想されるものだけでも、いくらでも浮かんできます。数年先には、現在想像もしていない技術・製品が登場すると思います。

ＤＸの進展は膨大なデータを生み出します。身近なところでは、皆さんが使用しているスマホは携帯電話としてだけではなく、ＳＮＳ、ゲーム、ショッピングを楽しんだり、学習や決済のツールとしても使用されるなど、生活になくてはならないものとして社会に組み込まれています。これからは前述したような、ありとあらゆるモノがデジタル化されサービス化されていくのです。データ量の増大は容易に想像していただけると思います。

電子情報技術産業協会（ＪＥＩＴＡ）が２０２２年１月に発表した予測によれば、２０３０年の世界の通信量は６万エクサバイト（エクサは１００京、京は10の16乗）に達するとしています。これは２０２０年の通信量４千エクサバイトの15倍に増えるという見通しです。人間の想像力をはるかに超えるデータ量です。わずか10年でこれだけデータ量が増える要因はＤＸの進展だと見られています。そして、この膨大なデータのほとんどがネット上を飛び交い、ストレージに蓄積されるようになるのです。

ＡＩでは膨大なデータが必要になる

ＤＸの中核となる技術は、ＡＩ、ＩoＴ、ビッグデータの三つです。

まずＡＩについてですが、ＩＴ専門調査会社のＩＤＣが２０２２年７月に発表した予測によれば２０２１年の国内ＡＩ市場における市場規模（売上額ベース）は、前年比19・３％増、１８７９億６７００万円と推定しています。２０２２年以降のＡＩ市場は、企業や組織によるデータ活用プロジェクトがさらに活発化し、成長します。そしてその市場の2021~2026年の年間平均成長率（CAGR：Compound Annual Growth Rate）は19・7％、2026年の市場規模は4621億7900万円となり、5年で2・5倍の規模に達すると予測しています。

現在、急速に実用化が進んでいるAI技術は、機械学習とディープラーニングとよばれるものです。従来のソフトウェアは、プログラマーが処理のルールを逐一、記述する必要がありました。機械学習とディープラーニングでは、大量のデータをAIが読み取り、ルールを自動的に学習して、処理のアルゴリズムを生成していきます。

AIは自ら学習するのですが、そのためには膨大なデータが必要になることをまず押さえておく必要があります。

AIによるコンピューティングの変化

AIについてもう一つ押さえてほしいのは、複雑な計算を短時間で実行するために、たくさんの演算装置で分散並行処理を行うことです。

ディープラーニングは、実は機械学習の一種なのですが、ほかの機械学習と根本的に違うところがあります。それは「特徴」を自ら学習するということです。

AIは基本的に、パターンを認識するシステムです。パターンとは特徴のことで、一般的な機械学習では、人間がコンピューターに特徴、正確には「特徴量」とよばれる数字の羅列を与えます。したがって機械学習では特徴量を調整することで、学習の精度を高めるという手法が一般的です。

ところがディープラーニングでは、特徴もデータから学習します。本書ではAIの中身には詳しく触れませんが、ディープラーニングで特徴を学習するためには、GPU(Graphics Processing Unit)という演算装置を複数分散して協調処理させる必要があるということは知っておいていただけたらと思います。

皆さんが使っているパソコンやスマホの主な計算処理をしている演算装置はCPUですが、GPUは、コンピューターグラフィックスの処理に特化して開発された演算装置です。

画像処理では並列計算が多用されるため、並列計算が得意なGPUが使用されるのです。ディープラーニングは何百万~何千万という計算を繰り返し行うため、CPUよりもGPUでの処理が向いています。ディープラーニングでは、このGPUをさらに複数個使った分散処理をします。両方を併せて、「分散並行処理」とよばれています。

ディープラーニングが現実的なものと認識され普及が始まったのは、2012年6月の「Googleの猫」がきっかけでした。Googleが1週間にわたり、AIにYouTubeのビデオを見せ続けたところ、AIが自ら学習して猫の画像を認識するようになりました。そのニュースが全世界を駆け巡って以降、「第三次」とよばれるAIブームが起こっていることが広く認識され、現在も続いています。そして、それ以来、HPCサーバーとよばれる新しいタイプのコンピューターも普及し始めました。

計算用に開発された技術が、HPC(High Performance Computing、ハイパフォーマンスコンピューティング)です。これはもともとスーパーコンピューター(スパコン)

用に開発された技術でしたが、最近では企業が自社の研究室でディープラーニング用に利用する高性能サーバーをＨＰＣサーバー（あるいは単にＨＰＣ、ハイパフォーマンスコンピューターともいう）とよぶようになりました。

今後、ＨＰＣサーバーが加速度的に増えていくことが考えられます。そうなると、すでにお気づきの方も多いでしょうが、大量の熱が発生することになります。

ＩｏＴでも大量のデータが発生する

次にＩｏＴです。

従来のインターネットにつながっているものは、パソコンなどの端末、サーバー、ストレージあるいはプリンターといったコンピューターおよびその周辺機器が中心でした。ＩｏＴでは、産業用機械や家電など、あらゆるデバイスがインターネットに接続されることになります。身近なＩｏＴの代表例は、Google HomeやAmazon Echoなどのスマートスピーカーとよばれる機器です。現在では、テレビもインターネットにつながる製品が一般的になりました。

ビジネス用途としては、製造機械やオフィス機器にセンサーを搭載して、メーカーに逐次データを送ることが始まっています。これによりメーカーは、故障の前兆をとらえて、故障する前に技術員がユーザー企業を訪問して部品交換などを行う、プレディクティブ・メンテナンス（予知保全）ができるようになりました。このほかにも、ＩｏＴにはさまざまな活用事例が出てきています。

ＩｏＴでは、あらゆるモノからセンサー情報や映像情報が生成され、送信されますので、従来のビジネスデータに比べると何十倍ものスピードでデータが増加しています。

ＩｏＴデータの活用のなかでも大きく期待されているのが、自動車やドローンなどの自動運転です。自動運転になると機械内部で処理するデータも多いのですが、サーバーで処理すべきデータもかなりあります。自動運転を実現するためには通信の遅延時間を０・５ミリ秒以下に抑える必要があるといわれています。

ビッグデータとは?

続いてビッグデータについてです。

ビッグデータとは、従来のデータベース管理システム（以下、データベースとする）だけでは記録や保管、解析が難しいような巨大なデータ群を指します。明確な定義はなく、主にマーケティング用語として使われています。

従来のデータベースは、業務データを扱うのに特化していました。基本的に、データの型（整数、実数、テキストなど）が決まっている、データの長さ（範囲、文字数など）が決まっている、データを重複せずにもつことができる（これを正規化といいます）などの特長があり、構造化データとよばれます。

しかし、ビッグデータのなかには構造化されていないデータ、すなわち非構造化データが多いのです。非構造化データの特徴は、構造化データの逆で、データの型や長さが決まっておらず、正規化が困難ということです。従来のデータベースは、構造化データを扱うのに特化していたので、非構造化データを扱うのに向いていません。処理効率が非常に低下しますし、保管のために無駄なスペースも必要となります。

具体的には、ＩｏＴデータ、ＳＮＳなどのテキストデータや画像データ、動画データなどが非構造化データにあたります。その用途は、マーケティングなどのための分析やＡＩ学習用です。前述した「２０３０年の1年間に全世界で発生するデータの量」の大半は非構造化データだと考えられています。

すなわち、ビッグデータとは大量なのはもちろんのこと、その大半が構造化されていない、つまり従来の業務用データベースでは取り扱えないデータだということになります。ビッグデータを扱うためのデータベースや処理方式はすでに存在しており、日進月歩で進化しています。ただ、複雑なデータを大量に扱うわけですから、サーバーの処理も大変で、サーバー自体の数も必要になります。

問われるデータセンターの能力

以上、DXの中核技術として、AI、IoTおよびビッグデータについて簡単に説明してきました。

これらから共通していえるのは、データが爆発的に増大し、処理も複雑になるということです。それに伴い物理的には、サーバーの数や重量が増えること、発生する熱が増えることが予想されます。さらに自動運転など将来、実用化が期待される技術に関しては、今まで以上のリアルタイム処理が求められるということです。

はたして従来型のデータセンターで、DXが必要とするような処理が可能なのでしょうか。

電力消費量の増大で冷却が不可能になることも

繰り返しになりますが、AI、IoT、ビッグデータなどDXの中核技術の活用が進むと、複雑で膨大なデータを処理できるだけのサーバーの能力が求められます。CPUや

ＧＰＵはもちろん、メモリーなども高性能なものにし、台数も増やす必要があります。そうすると必然的に電力の消費量も増加していきます。

消費電力量の増大も大きな問題です。ユーザーから見ると電気代というコストがかさみ、当然、データセンターの利用料金にも影響します。それ以上に消費電力の増大は、二酸化炭素の排出量の増大にもつながりますし、化石燃料やウランなどエネルギー源の大量消費にもつながります。地球環境保護の観点からも省エネルギーに努めなければなりません。


しかし、それ以上に、運用上の問題として、サーバーが発する熱が非常に大きな問題となります。サーバーは熱をもった状態が続くと誤動作や故障を引き起こすことになるため、冷却し続ける必要があります。そのためには、発熱した大量の機器を冷却するための空調機が必要になります。

空調機も電力を必要とするため、さらに電力消費が増えることにもなりますが、それ以前に実際に冷却できるのかが問題です。

従来のデータセンターでは、1ラックあたりに必要な電力量は2～6kWという想定でした。しかしすでに、高性能の高密度サーバー（CPU、GPUなどがコンパクトな筐体に多数入ったサーバー）を搭載したラックでは、1ラックあたり20～30kWを必要とするものが主流になりつつあり、なかには60kW以上の電力を必要とするものも出てきています。

発熱量は電力量に比例しますから、従来の冷却方式ではコンピューターを冷却するのは困難になってくるでしょう。

データセンターで進む老朽化

現在の日本のデータセンターは2000年前後に建てられたものが多いと前述しました。

データセンター設備の寿命は約15～20年といわれており、その頃に建設されたデータセンターは老朽化のため、全面改修が必要となってきます。

この頃のデータセンターでは、1ラックあたりの電気容量が3kW程度のものが多かったのですが、現在では10～20kWが当たり前で、前述したとおり、それ以上の需要が出てきています。

また、床荷重も1㎡あたり800～1000kgが一般的でしたが、現在では少なくとも1500kgが必要とされ、サーバーの高密度化によりさらに大きな耐荷重が必要となります。

国内のデータセンター550カ所のうち、15年以上経過した施設が約5割存在していると見られていますが、これらのデータセンターもこれからのニーズが満たせず、新設あるいは移設を余儀なくされており、そのために多大な費用と労力が割かれることになるでしょう。

IoTに対応するためのエッジコンピューティングとは？

IoTが進展すると、膨大な数のセンサーからサーバーに大量のデータが送信されることになります。そのなかには自動運転用のデータのように、0・5ミリ秒以内の遅延しか許されないものもあります。

そうなると、現在のように郊外の広大な土地に建設された巨大なデータセンターに集められたサーバーで処理するのでは、処理が間に合わなくなります。なぜなら、データの発生源であるセンサーからサーバーまで距離があると多くの中継地点を通るので、中継地点ごとに通信データをどこに送るか判断する処理が行われなければならず、その分、通信の遅延が発生するからです。

そこで、データの発生場所の近くにデータを処理するサーバーをもつ「エッジコンピューティング」という方式が、自動運転などでは主流になると考えられています。工場の生産ラインの自動制御などと同じ考え方で、データセンターではなく工場内に処理サーバーを置くものです（一方、生産実績データなど数秒ぐらい遅延しても構わないデータは、直接データセンターに蓄積されることになるでしょう）。

なおエッジコンピューティングと似たような方式で「フォグコンピューティング」という方式もあります。これも遅延を短縮するための考え方です。厳密には違いますが、センサーから発生したデータをいったん近くで受け取るという点では、エッジコンピューティングと同じです。

いずれにしても従来型の一極集中大型データセンターではなく、街中や工場内など現場でデータを処理するための小型データセンターが必要になるということです。

データセンターに課せられた課題

以上で、今後DXが進展していくために求められるデータセンターの課題が浮き彫りになりました。

一つ目は、冷却の問題です。コンピューターを正常に作動させるためには、冷却する必要がありますが、従来のデータセンターの設備ではすでに限界に近づいています。画期的な冷却方法を採用する必要があります。

二つ目は、電力消費の問題です。コスト削減という観点からも、二酸化炭素削減およびエネルギー資源の節約といった地球環境保護の観点からも、電力消費量を減らす必要があります。

三つ目は、建設方式の問題です。従来の一極集中型のデータセンターは今後も必要と考えられますが、それとは別にエッジコンピューティングに必要となる「現場のデータセンター」が求められています。

［第5章］

ＡＩ時代を見据えて――「データセンター」の未来像

10年後どころか5年後も分からない

世の中の変化するスピードが速くなってきていますが、DXの進展でそのスピードは今後ますます加速していくと考えています。

例えば、コネクテッドカーとよばれる、たくさんのセンサーを内蔵し、ネットを通じてサーバーと通信する、コンピューターの一種といっても差し支えない自動車がすでに市場に出回っています。AIを搭載したコネクテッドカーとサーバー側のAIが連携して実現されるのが、自動運転です。

自動車だけではありません。ドローンによる自動配送も、さまざまな法整備が必要ですが、やがて実現されていくはずです。

このようにAIやIoTを活用して自動車やロボット、製造機械、オフィス機器などを自動制御する時代がもう始まっています。数年～10年ぐらいのうちに、こういったことがどんどん当たり前になっていきます。

10年前に今の状況を正確に予想できた人はいたでしょうか。

５年前でも予想できたかはあやしいものです。数年前まではリモートで働く環境は想定していなかったはずです。今となってはウェブ会議が当たり前となり、ビジネスのあり方だけでなく、人の行動が大きく変化しました。人の代わりにＡＩの活躍の機会が急激に増えることを想像している人はほとんどいませんでした。もちろん予想していた人もいましたが、もっと先のことだろうと多くの人は思っていたはずです。今後もこの流れは強まり、ＡＩ活用は当たり前のことになってくるでしょう。

ＩｏＴという言葉は１９９９年からあるそうですが、その導入が進み、誰もが知るような言葉になったのは、ここ数年のことです。

この10年間の進歩よりも、これから先の進歩のほうが加速するとしたら、３年後のことすら予想できません。

ただし、年々進歩していくＩＣＴを支えるインフラとして、データセンターはさらに重要なものになっていくのは間違いないでしょう。

しかし、従来型のデータセンターで、はたしてこの進歩に追随できるのでしょうか。

これからのデータセンターが解決すべき三つの課題

従来型のデータセンターのままで今後のＩＣＴの進歩に対応していくことは難しそうだと結論づけました。今後もデータセンターが使われ続けていくためには、解決すべき課題が少なくとも三つあったからです。

その三つの課題とは、次のとおりでした。

①冷却

高集積化・高密度化が進むことで電力消費量、すなわち発熱量が増大するコンピューターをどうやって冷却するのか。

②省電力

環境保護（二酸化炭素削減やエネルギー資源の効率的使用）のために、データセンター全体で使用する電力量をどうやって抑えるか。

③小型データセンターの建設

エッジコンピューティングを実現するデータセンターを小型データセンターとよぶことにします。一極集中型の巨大データセンターと組み合わせることで、リスクを分散化し、データの高速処理などの対応を柔軟に行う小型データセンターをどのように建設するか。

いくつかの新しい冷却技術

現在いくつかの新しい冷却技術が出現していますが、それらの技術に触れたあと、より冷却効率の高い、液浸方式についてご説明します。

・ダイレクトチップ冷却

ダイレクトチップ冷却（あるいはオンチップ冷却）は、小さなヒートシンク（放熱・吸熱を目的とする部品）を直接、ＨＰＣのＣＰＵとＧＰＵに取り付けて冷却する方式です。

・アクティブ型リアドア熱交換器

ラックの背面ドアに直接、熱交換器を取り付ける方式です。サーバーラック1台につき最大75kWの発熱を除去することができます。

アクティブ型リアドア熱交換器はかなり効率的な冷却方式ですが、結露の可能性によるサーバーへの影響、部品構成が多くなることによる不具合発生への懸念、さらに省エネの観点からの検討も必要です。

そこで、さらに高性能の冷却能力および省エネ効果がある「液浸」とよばれる方式が注目されています。

サーバーごと液体に浸す冷却方式がある

液浸とは読んで字のごとく、サーバーごと特殊な液体に浸してしまうことです。

液浸方式であれば、空冷方式で必要な空調機や冷気の通り道のスペースを確保する必要がないので、従来のデータセンターのスペースよりコンパクトに設置ができます。床荷重に問題がなければ、データセンター以外の場所でも利用できます。これは非常に大きなメリットです。

ただし、デメリットもあります。現在、一般的に市販されているサーバーは液浸専用ではないという点です。通常のサーバーを液体に浸ける際には事前にチューニングが必要となります。最近はその事前のチューニングを含め、提供可能なメーカーも出てきましたが、多くのメーカーは保証外となってしまいます。今後液浸冷却技術の普及により、提供可能なメーカーも増えていくと想定されます。なお、液浸専用のサーバーが本格的に開発される際は、現在のサーバーよりかなり小さくなるはずです。ＣＰＵやＧＰＵの冷却ファンが不要となるほかに、空気の通り道として確保された空間がなくなるためです。

液浸冷却の仕組み

液浸冷却にも二つの方式があります。

液体の沸点の違いでシングルフェイズ方式（1相式）、ツーフェイズ方式（2相式）と分類します。図表9がツーフェイズ方式（2相式）を簡単に表したものです。

シングルフェイズ方式でもツーフェイズ方式でも、サーバーを液体の中に浸すところまでは同じです。コンピューターからの熱を液体に移し、その温まった液体を冷やし、コンピューターの高温を防ぐ仕組みをシングルフェイズ（1相式）とよびます。

一方、気化熱の原理を使い、蒸発させる

【図表9】 2相式液浸冷却装置

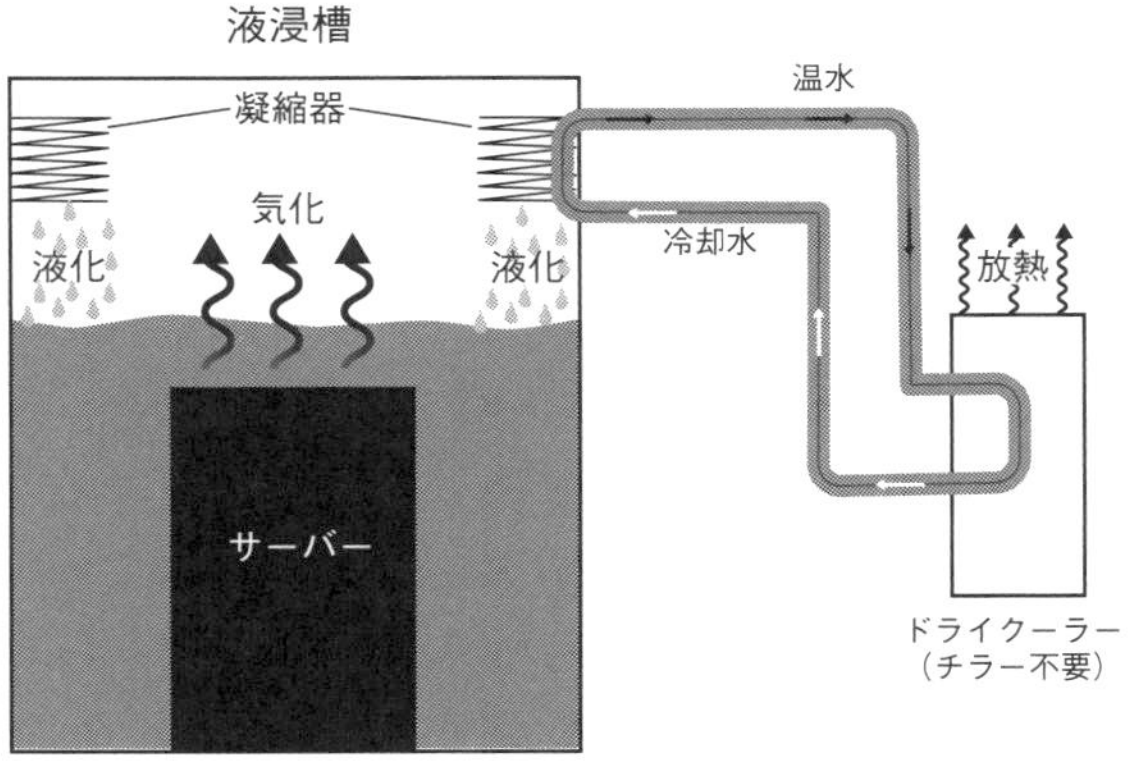

著者作成

ことでコンピューターから熱を引き外す方式をツーフェイズ方式（2相式）とよびます。蒸発と聞くと高温のイメージとなりますが、50℃程度で沸騰する特殊な液体を用いるため、コンピューターの故障となるような温度には達しません。

なおコンピューターの熱によって蒸気化した液体ですが、液浸槽上部に設置された凝縮器により気体から液体の状態に戻ります。この仕組みにより、密閉された液浸槽内部で液体が減ることもなく、ラック内のコンピューターを冷却し続けられるわけです。

冷却システムの選択の仕方

ダイレクトチップ・オンチップ型冷却、アクティブ型リアドア冷却、液浸冷却は現在利用可能で信頼性の高い冷却方式です。冷却システムは、コンピューターシステムの性能と信頼性を担保する最大の要素ですから、データセンターの現在標準の冷却インフラと将来の更新計画を考慮しながら、効率的でコストパフォーマンスが高く、実用的な冷却システムを検討し、選択することが肝要です。

例えば現時点では、インフラを変更せずに効率の高い冷却を実現するアクティブ型リアドア冷却が最適でしょう。しかし3年先を視野に入れるのであれば、専用のサーバーが必要になりますが、今から液浸冷却に取り組むのも有望な選択肢だといえるでしょう。

データセンターに求められる省電力

次に、二つ目の課題である省電力についてです。

データセンターは需要の拡大とともに、電力消費量が増加の一途です。一方、世界全体で、脱炭素社会への潮流が本格化するなか、日本政府も2050年カーボンニュートラルを宣言しグリーン成長戦略を示しました。データセンターは今まさに、地球温暖化への対応とデータセンターそのものの省電力を求められているのです。

今後カーボンニュートラルの実現に向けて、データセンターでの再生可能エネルギーの利用が促進されるでしょう。

またデータセンターでは高い電力使用効率が求められ、その指標としてPUEが使われていることをすでに述べました（第2章「電力使用効率に関する標準」参照）。

ＰＵＥはその値が1に近いほど、省電力に取り組んでいると評価されます。データセンターが使っている電力のなかでは、コンピューターの冷却に使用する電力が大きな割合を占めています。ＰＵＥを1に近づけるのに最も効果が高いのは、冷却に使用する電力を減らすことなのです。

省エネ効果が高い液浸方式

ＰＵＥを1に近づけるためには、冷却方式の見直しも有効な手段です。一般的に新しい冷却方式のほうが電力使用量を節約できます。液浸方式を例に試算してみましょう。

仮にデータセンター全体の電力使用の内訳が、ＩＴ機器50、冷却45、その他5というデータセンターがあったとします。冷却方式は水冷式です。これだと、ＰＵＥは２・０となります（これは現在ではかなり悪い数値で、あくまで分かりやすくするための想定です）。

水冷式は冷却塔、ポンプ、冷凍機、室内機などあらゆるところで電力を使用します。これを液浸式に変えると、冷却に使う電力は5ぐらいまでに減らせるといわれています。さらに専用のＩＴ機器であれば、ファンが不要になるため45ぐらいまで減らせます。

この場合のＰＵＥを計算すると、（45＋５＋５）÷45＝１・22となります。ＰＵＥがかなり向上することが分かります。さらに総エネルギーとしては１００から55となり、45％の削減となります。

二つ目の課題である省電力に関しては、冷却方式を見直す方法があるということになります。冷却方式としては、液浸方式が有力な選択肢だといっていいでしょう。

モジュール化で小型データセンターを素早く展開

次に三つ目の課題、小型データセンターの建設についてです。従来型のデータセンターを建設する場合、高額な投資が必要で、建設にも数年かかります。ＤＸ実現を目指すビジネスは一般的に、素早く展開する必要があります。そうしないと競合他社のサービスが先に浸透し、機会損失をする恐れがあるからです。しかし従来型のデータセンターをビジネスが求めるスピード、例えば数カ月以内に建設することは不可能です。

そこで、すぐに建てられるデータセンターとして、モジュール型データセンターが注目されています。その代表的な例がコンテナ型のデータセンターです。輸送用コンテナにデータセンター設備一式をパッケージングし、低コスト、省エネルギーのデータセンターを短期間に作ることができます。

必要があれば移動もできますし、コンテナ単位で増設することも可能です。

街中や工場敷地内にエッジコンピューティング用のデータセンターを建設したいという場合にも、モジュール型であればすぐに対応できます。

今後、少子高齢化やリモートワークのさらなる進展など、社会構造の変化に伴い、さまざまなスペースが生まれることが予測されています。そこにモジュール型データセンターが次々と建設されることになるかもしれません。

例えば、銀行のATMなどは今後減っていくことが予想されるので、銀行の支店の空きスペースなどにもモジュール型のデータセンターが作られるようになるかもしれません。商店街やショッピングモールの空き店舗のスペースも、データセンターとして有効活用されることが考えられます。オフィスのサーバールームの一部も、データセンターとして活用できる可能性があります。商業施設でも、テナントの空きをデータセンターとして活用できるかもしれません。コンビニの駐車場にコンテナを置いてデータセンターにすることや、オフィスビルの地下駐車場、駅構内などに建設することも考えられます。

また環境省の取組みとして、「デジタル田園都市国家構想実現」がありますが、デジタル田園をグリーンで実現するために、その中核としてデータセンターのグリーン(再エネ)化、地域分散を図るためにも、小型データセンターは最適な解だと思われます。

ハイパースケールデータセンターとは?

ここからはデータセンターの未来像を、グローバルと日本国内のそれぞれの観点から概観していきます。

まず「ハイパースケールデータセンター」とその事業者について説明します。

ハイパースケールデータセンターに明確な定義はありませんが、一般的には、大規模なコンピューティング環境を構築する能力を備えた巨大企業が展開しているデータセンターを指します。具体的には、GAFAM（Google、Apple、Facebook、Amazon、Microsoft）などの米国勢と、BAT（Baidu、Alibaba、Tencent）に代表される中国勢が代表的なハイパースケールデータセンターの利用者で、ハイパースケーラーとも呼ばれています。

最近はそれらの企業向けに、シンガポールやオーストラリアなどアメリカ以外の国からのデータセンター事業者の日本進出も目立っています。ハイパースケールデータセンターの設備投資は、毎年前年比50%ともいわれており、すさまじい勢いで増加しています。ハイパースケールデータセンターは世界中で800を超え、さらなる大規模データセンターの建設によって事業拡大を狙っています。

事業領域は、クラウドサービス、オンラインコマース、SNS、広告サービス、ファイナンシャルサービスなどあらゆる領域にわたり、自動運転やフィンテックなどへも事業を拡大し続けています。

ハイパースケーラーは、省エネルギーで高効率、大規模なデータセンターを構築・運用するために、自ら設計したサーバー、ネットワーク機器、そして自社開発した運用ソフトウェアを使用しています。大規模システムの拡張性と効率化を最大にするために自社開発をしているのです。

とはいえハイパースケーラーにおいても、サーバーの高密度化による発熱量の増大は避けられず、高効率な冷却システムへの対応を迫られています。Alibabaは２０１８年のＯＣＰサミットで、高発熱化に対応するには液浸方式システムしかないと発表し、現在データセンターでは世界最大の浸水式液冷サーバー群を構築し、さらに拡張を続けています。

それからハイパースケーラー、特にＧＡＦＡＭで注目すべきは、再生可能エネルギーへの取組みです。日本のデータセンター事業者においては、使用する電力の一部を再生可能エネルギーとして利用する取り組みが始まったばかりですが、ＧＡＦＡＭは、多くの資金を投じ、再エネ電源が生み出す電力だけを使ってデータセンターを稼働させようとしているのです。

海外事業者の日本進出

ハイパースケーラーのAmazon、Google、Microsoftは日本にも進出しています。日本でもクラウドサービスの利用は今後、ますます進むと予想されていますが、パブリッククラウドについては、これらハイパースケーラーの競争力は非常に強く、国内企業の多くもこれらのサービスを利用し、日本国内のシェアもさらに拡大していくとみられています。

また、ここのところGAFAM以外の外資系ハイパースケールデータセンターの日本国内市場への進出が相次いでいます。

特に千葉県印西市はデータセンター特区のような環境となり、大規模なデータセンターが建設されています。印西以外でも東京、神奈川、埼玉、大阪方面においても数10メガワットのデータセンターが建設される予定です。

２０２３年には、累積ラック数で、リテール型（従来型）のデータセンターをハイパースケールデータセンターが追い越し、さらにその差は開くばかりという予測がされています。

海外の事業者にどのように対抗していくのかは、日本のデータセンター事業者にとっては喫緊の課題といえます。

タイプ別に見た日本のデータセンターの方向性

こうしたハイパースケーラーや海外データセンター事業者の日本進出に対して、日本のデータセンター事業者やユーザーはどのように対応していけばいいのでしょうか。規模の観点から大規模データセンター、エンタープライズデータセンター、地域データセンターおよびエッジデータセンターのそれぞれについて考えてみましょう。

大規模データセンター

ＤＸによって生まれる新しいビジネスモデルの大半は、企業内環境（オンプレミス）ではなく、クラウドやデータセンターを基盤に構築されることになるでしょう。そのため、既存のデータセンターは、さらに大規模な容量をもつハイパースケールなデータセンターに生まれ変わる必要に迫られることになります。

電源供給能力、冷却能力、床荷重などファシリティ面でグレードアップが求められ、高集積サーバーが安定的に運用できる環境を提供することが必要になります。

最近では設立から15年以上経過する約5割のデータセンターでは老朽化の問題が生じてきています。建物自体は健全であるものの、各設備の仕様が近年のコンピューター仕様に合わなくなりつつあります。今後それらのデータセンターの活用、リノベーション対策が重要な問題になると考えられます。

エンタープライズデータセンター

企業内に設置されているエンタープライズデータセンターは、従来型の基幹系業務システム（SoR:System of Record）に代表される機密性の高いデータを扱うデータセンターとして運用されてきました。

一方で、機密性は比較的高くないが、ビジネスモデルを素早く展開するために必要なシステム（SoE:System of Engagement）は、クラウドで運用されるようになってきています。

今後はSoR、SoEともにクラウドへの移行が強まると考えられます。この理由としてはエンタープライズデータセンターが徐々にコンピューターの仕様に合う設備を提供できなくなることが原因とされています。市場予測としては、パブリッククラウドとプライベートクラウドの年間平均成長率をそれぞれ、18％と25％と予測しています。クラウドはものすごい勢いで成長しているのです。

パブリッククラウドとプライベートクラウドのいずれが進展するにしても、企業がＤＸを推進するためには、一定の規模のデータセンタースペースは必要となります。その際はデータセンター設計の基本となる電力供給、冷却システム、床荷重など、ここまで検討してきた課題から逃れることはできず、最適なソリューションが求められます。

地域データセンター

国内のデータセンターの多くは、首都圏（特に東京）と関西圏に集中しています。しかし、データセンターが集中してしまうと、災害による業務停止が発生しやすくなります。特に東日本大震災以降、災害対策や事業継続計画（ＢＣＰ）の観点から、データセンターを地方に分散させる流れが生まれました。

総務省でもその動きを促進する税制優遇を設けるなどの取り組みを進めています。また、地方創生を推進する多くの自治体が地元への企業誘致、雇用拡大に向けてデータセンターを新設する動きを見せており、大都市圏以外にもデータセンターが増えつつあります。

最近では冷涼な外気を冷房として活用することで消費電力を大幅に抑えられる北海道や東北地方において、新しいデータセンターの建設が進んでいます。すでにビジネスを展開している事業者としては、北海道石狩市の「さくらインターネット」、福島県白河市の「ＩＤＣフロンティア」などがあります。現在、北海道内では38カ所のデータセンターが立地しています。

今後石狩市では、風力、太陽光による発電も始める予定で、１００％再生可能エネルギーで運営するデータセンターを建設する計画もあるということです。

今後も地域の特性を活かして、ＤＸに対応できる地域データセンターの新設が進むと思います。

エッジデータセンター

エッジコンピューティングで利用するサーバーはデータの発生源により近いエッジデータセンターに設置されていくと思います。ＩｏＴの進展によって生み出されるデータ量は膨大なものとなり、これらのデータの処理をどこでどのように行うかが非常に重要になります。自動運転や製造機械の自動制御など遅延が問題となる処理が増えるからです。そうなるとデータ発生源のすぐ近くで処理しなければなりません。そこで、データの発生源のすぐ近く、すなわちエッジで処理を行う分散型のアーキテクチャーであるエッジコンピューティングが注目されています。

しかし、エッジだけで処理が完了するわけではありません。エッジでのリアルタイム処理とクラウドでの集中管理処理を協調して行う、自律分散協調型の仕組みが必要なのです。

AmazonやMicrosoftはエッジコンピューティング時代の到来を見据えて、それぞれAmazon AWS IoTとMicrosoft Azure IoTといったエッジで動作するデバイスに向けたＩｏＴ関連サービスの提供を発表しています。どちらも大量のデバイス群を迅速にクラウドに接続し、処理や管理を容易にするサービスです。

エッジ側でも、高性能かつ省エネルギーのシステムの需要が高まることは確実であり、これらの冷却をどうするかが重要な課題です。

ＩｏＴやＡＩの活用が進めば進むほど、リアルタイムでのデータ活用や分析の重要度が増し、低レイテンシ・低負荷・セキュアなデータ通信の実現が成否を分ける要因となるでしょう。ＤＸの推進が勢いを増すなか、エッジコンピューティングへの注目はさらに高まり、エッジコンピューティングとクラウドコンピューティング、それぞれの長所を理解して上手に使い分けることで、ＩｏＴを利用したＤＸが大きく進むと思われます。

必ずしも堅牢なデータセンターばかりでなくてよい

このように、今後も大規模な商用データセンターはなくならず、そのうえで企業や地域が所有するデータセンターも増えていくことでしょう。さらにコンテナ型に代表されるモジュール型のような小型のデータセンターも普及していくと思われます。

そのなかでも、これまでは大規模な商用データセンターが主流でした（ただし、企業のデータセンターは日本に商用データセンターが普及する前から存在していましたが）。このようなデータセンターでは、ティア3～ティア4のレベルの高い堅牢性が求められました。

しかし、これからは変わってくるでしょう。ビジネスモデルによっては、ティア1どころかそれ以下の仕様でも十分というものが出てきているからです。

例えば、仮想通貨マイニングはティア1レベルさえ必要としません。仮想通貨はブロックチェーンという「取引台帳」が存在することで成り立っており、ブロックチェーンは複数のコンピューターに分散して存在し、すべての仮想通貨ユーザーで共有されています。

世界中で発生したあらゆる取引をブロックチェーンに記録することで、取引の正当性が担保されます。そして、すべてのユーザーがブロックチェーンを共有しているので改ざんが不可能になっています。

取引をブロックチェーンに記録する際には、暗号化して書き込む必要があります。世界中に分散しているブロックチェーンに、取引を暗号化して書き込むことはコンピューターリソースを膨大に使う処理になります。そのため、書き込みのためにコンピューターの処理能力を提供してくれた人に報酬として仮想通貨が支払われます。このように報酬が支払われることから、ブロックチェーンへの書き込みをマイニング（採掘）とよんでいます。マイニングには、サーバーが大量に使用されます。どれかが壊れてもほかのサーバーが動作していれば問題ありません。したがって、大量のサーバーを置く場所は欲しいのですが、堅牢性は必要ありません。従来のデータセンター設計ではオーバースペックなのです。

高密度のＨＰＣが必要な処理でもないので、老朽化したデータセンターの空きスペースに大量のサーバーを並べればいいかもしれませんし、これから全国に大量に作られるであろうモジュール型データセンターの片隅に数台ずつ設置して、全国で分散協調処理をする形態でもいいかもしれません。

いずれにしても、堅牢でなければデータセンターではないという概念は、もしかしたら時代遅れになるかもしれないのです。

分散することでコストメリットも信頼性も

そう考えると、堅牢性の高い大規模データセンターを1棟建てるよりも、堅牢性が低い小さなデータセンターをいくつも建設するほうがコストメリットがあるかもしれません。そうであれば、地域型やモジュール型のデータセンターは堅牢性にこだわらず、とにかくどんどん建設するということも可能になってきます。

そこで大ざっぱな試算をしてみましょう。仮にティア４レベルの大規模データセンターの建設に１００億円かかるとしましょう。そうであれば、この数分の1の規模でティアレベルの堅牢性も必要ないとすれば、1カ所10億円ぐらいで作れるものと思います。仮に5分の1ぐらいの規模のデータセンターだとしても、棟数では10倍、サーバーの設置台数では2倍のデータセンターを、同じ100億円で作れることになります。

するとコストメリットとしては、サーバー設置台数の2倍になります。さらに、10カ所のデータセンターで協調処理をすれば、信頼性（=可用性）も高まることになります。

ティア4レベルのデータセンターでも、今後想定されている大地震やそれに伴う津波などが直撃すれば倒壊するかもしれません。しかし全国10カ所にデータセンターが分散しており、それぞれにサーバーを同数ずつ分けて設置していたらどうでしょうか。2カ所以上のデータセンターが同時に潰れることはほとんど考えられませんし、10カ所全部潰れることこそまずあり得ません。そうなると1カ所のデータセンターが倒壊しても、残りの9カ所で分散協調処理を続けることができますので、業務はほぼ問題なく継続できることになります。

データセンターの小型化では冷却方式の課題解決が必須

これからエッジデータセンターを設計するにあたり、小型のデータセンター設計が重要となります。しかしながら、データセンターの小型化は実現が難しい状況です。その大きな理由として、冷却能力の問題が挙げられます。現在の冷却方式では空調システムの都合上、天井を高くするなど、大量の空気を循環させるスペースが必要となるため、小型化が難しいとされます。つまり、小型データセンターを建設するためには、冷却方式を根本的に見直す必要があるといえます。

ＫＤＤＩでは、絶縁性のオイルでＩＣＴ機器を直接冷却する「液浸技術」と12フィートの小型コンテナを活用した「液浸スモールデータセンター」の実証実験を、各社と共同で進めています。実証実験ではすでに、ＰＵＥ1・07という高い電力使用効率を達成しており、省電力データセンターを実現する新しい手法を求める多くの企業・組織の関心と期待を集めています。

今後増えていくと考えられる小型データセンターでは液浸方式が主流になる可能性が高いですし、小型データセンターが増えていくためには、液浸専用サーバーが普及する必要があるといっていいでしょう。

データセンターでの技術革新に向かって

データセンターの方向性を予測してきましたが、肝心なデータセンター内のコンピューターはどのようになっていくのかというと、現在データセンターの消費電力の50％をサーバーが、30％程度を電源と冷却系が、10％程度をストレージが占めるといわれています。とりわけサーバーは将来的にデータセンター消費電力の70％程度を占めると推定されており、サーバーの消費電力の低減が最も重要と考えられます。データセンターのPUEは1・1という場合もありますが、冷却や電源システムなど全体としてまだ改善の余地があります。将来的にはIT機器自身の省電力の進展に大きな期待がかかります。機器としてはCPU、ストレージ、メモリと電源の省エネルギー化が重要です。特にこれからはAIの増加による計算量の増大が予想されるため、CPU、GPUの省電力化が重要となるでしょう。

データセンターはIaaS、PaaS、SaaSなどのクラウドサービスの進展に伴い今後も膨大な計算負荷が発生するでしょう。さらに医療画像診断やセキュリティの顔認識などでも甚大な計算量の発生が予測されています。また全世界的なパンデミックの拡大に伴う仕事などのリモート化がそれに拍車をかけるでしょう。

これらのことから、従来よりさらにデータセンターにおける計算負荷が増大するでしょう。一方で供給電力には限りがあります。現在世界中で低炭素エネルギー社会の実現に向けて、エネルギーの見直しが進められていますが、供給電力の増大は再生可能エネルギーが大幅に増えない限り期待できません。

低炭素社会へ進みながら、社会に必要とされているサービスを提供するためにはデータセンターの省エネルギー化を進める必要があるのです。

一方で今、技術革新の取り組みとしてＩＯＷＮ構想が注目を集めています。ＩＯＷＮ(Innovative Optical and Wireless Network)構想とは、ＮＴＴが中心となり進めているグローバルな取り組みです。その目的の一つとして「消費電力の増加の克服」を挙げています。

ＩｏＴの進展によるネットワーク接続デバイスの爆発的増加は、ネットワークの負荷を高めるだけでなく、エネルギー消費の面でも大きな懸念になっています。また、データセンターの電力消費量の増加も世界的な問題となっています。

これらのような社会的課題を、ＩＯＷＮ構想では以下のように解決していく見込みだそうです。

「エレクトロニクスとフォトニクスの融合による電力効率の大幅な向上によって、爆発的に増大する情報量にも対応できる処理能力を提供する」

ＩＯＷＮは、２０２４年の仕様確定、２０３０年の実現を目指して、研究開発を始めています。

創造する未来の「基地」

これからの未来は一言でいうと、データを介してあらゆる産業やサービスがつながり大きなイノベーションを引き起こす社会といっていいでしょう。行政も金融機関も製造業も物流事業者も農業、食品工業ももちろん医療もエネルギー会社もすべての会社が多様なデータを共有し、個人の生活や産業構造を含めて社会を大きく変えていくのです。あらゆる企業が新たなビジネスを生み出し国内だけではなく世界中のあらゆる人や企業とつながるIT企業になるのです。もちろん都会の企業だけではなく地域の人々の多様な生活スタイルやニーズを支えるために分散化・広域化する必要があります。そしてこれらはすべてデータを介して行われるのです。メガデータセンターなのか分散データセンターなのか地域データセンターなのか、はたまたエッジデータセンターなのかは分かりませんが、想像する未来の基地になるのは間違いなくデータセンターなのです。

ムーンショット計画とは

ムーンショットという言葉を聞いたことがある人はそれほど多くないかもしれません。「ムーンショット」とは、未来社会を展望し、実現すれば大きなインパクトをもたらす「壮大な目標・挑戦」を指す言葉として使われています。

日本では、

- 人口減少社会の到来

●地球環境の現状

を受けて、「国民の新しい生活様式」を実現するため、ムーンショット目標が掲げられました。

内閣府は、2020年1月に「48回総合科学技術・イノベーション会議」を開催し、この会議で、2050年を見据えた計画として、「ムーンショット型研究開発制度」を推進する、次の7つの目標を発表したのです。

・「身体」「脳」「空間」「時間」の制限から解放された社会の実現
・超早期からの疾患の予測・予防ができる社会の実現
・自分で学習・行動し、人と共に過ごすロボットの実現
・資源を循環する持続可能な社会の実現
・地球規模でムダのない持続的な食料供給産業の創出
・経済・産業・安全保障を急激に発展させるコンピューターの実現
・100年人生を楽しんで過ごすための医療・介護システムの実現

これらのムーンショット計画の目標ですが、そのほとんどはテクノロジーの発展と関連しています。これまでは夢物語のように想像されていたものもテクノロジーの進化により現実化し、さらなる利便性や豊かな生活の実現を目指して日々研究されています。

つい最近までガラパゴス携帯だったものがスマホに置き換わり、パソコン並みのスペックをもつ端末を小学生でも当たり前のように使いこなしています。ＡＩはどんどん進化していて、ＡＩが人間の知能を超えてしまうシンギュラリティが到来するのも近いといわれています。まさにテクノロジーの進化には目を見張るものがあります。

今の技術に固執せず常に進化を

今や世界のＩＴ市場を支配しているといってもいいＧＡＦＡＭの一つであるAmazonは、１９９４年にガレージでのインターネットでの書籍販売から事業を始めました。Googleも１９９５年にガレージで検索エンジンの作成からスタートしています。彼らの成功はより良い解決策のあくなき追求と新しい技術への挑戦の積み重ねといっていいと思います。

Alibabaや Tencentなど中国企業の躍進も目覚ましいものがありますが、その要因も同じだと思います。失敗を恐れず新たな技術に果敢に挑戦し続けることが重要なのではないでしょうか。

ここからデータセンターが進化していくための課題について改めて見てみましょう。冷却方式一つ取ってみても、現在主流の冷却方式には長年培ってきたノウハウがあります。そのため、データセンター事業者のなかには、現在の方法をこれからも使えないか模索している人もいることでしょう。しかし成功体験に固執していては、解決できることも解決できません。新しい技術をどんどん取り入れることが、これからの困難な時代の突破口になるのではないでしょうか。

エッジコンピューティングのために作られるモジュール型の新しいデータセンターでは液浸方式が主流になると思われます。狭い場所で効率的に冷却するのに、従来の方式では限界があります。モジュール型で利用されることにより、その他の規模のデータセンターでも普及することになるでしょう。大規模なデータセンターでも、効率的にサーバーを設置したいというニーズがあるからです。

課題は冷却だけではありません。今後さらにたくさんの課題が出てくることでしょう。それらは、現在のデータセンターで使用されている技術では解決できないものも多くあるはずです。今の技術に固執せず、常に進化していかなければ、これからの世の中の変化には対応できないということになります。

繰り返しになりますがデータセンターは、製造、流通、サービス、金融、さらには医療などあらゆる産業を下支えする強力な「基地」であることを、今後さらに強く求められるようになるでしょう。その期待に応えられるようにデータセンターを革新し、発展させることが、日本の発展、さらには世界の発展にもつながると確信しています。

おわりに

私がデータセンターに関わることになったのは1998年、今から25年くらい前のちょうどデータセンターがブームになるタイミングです。文系出身でITの知識に乏しい私が最初についた仕事が通信系の工事をする会社でした。新卒の自分が最初に配置された部署での担当案件が某外資系証券会社のデータセンターだったのです。作業員として光ケーブルやメタルケーブルを敷設するために床の下や、脚立にのって作業をしたり、必要な部材の選定・調達を行うなど、データセンターが完成する過程を身をもって勉強させてもらいました。

その後2000年からはアメリカのモルガン・スタンレー証券会社に転職し、社内のデータセンターやオフィスなどの通信系配線の設計、構築などを担当しました。当時のニューヨークでの同時多発テロなどの影響により、アメリカの金融系のデータセンター戦略、設計思想は世界で最先端であったと思っています。秒単位で数千億円を取引するシステムに膨大な資金を投じ、堅牢なデータセンターの設計をしていたのです。外資系企業のデータセンターは当時から、必ずグローバルスタンダードが定められており、日本のプロジェクトでもモルガン・スタンレー社内の基準に沿った設計をする必要がありました。当時としては進んだ考え方を取り入れており、とても有益な情報、経験をさせてもらい、２００６年以降のコンサルタントとして起業する際のベースを作れたと思っています。

２００６年から今に至るまで、アメリカだけに限らず欧州の金融会社のデータセンター、日本の金融系のデータセンターをはじめ、世界各国に拠点をもつデータセンター事業者のプロジェクトに参画させていただくことができました。

幸いにもデータセンターのブーム期から発展期、そして今の転換期を仕事を通じて見てきましたが、多くの人にとってデータセンターは縁のない場所となっています。情報の機密性などから多くの情報があまり知られていないのは仕方がないのですが、一方で弊害もあると思っています。その一つがデータセンター業界での人材不足です。特にアメリカと比べて非常に少ないと感じます。根本的には「データセンター」が何か分からない、興味がない、重要とも思わない、という関心の低さが原因であると思います。

本書を通じて、より多くの人に理解していただきたい、特に若い皆さんには興味ももっていただきたいと思っております。パンデミックの状況が落ちつき始め、久しぶりにアメリカのサンフランシスコに行きました。サンフランシスコといえば、シリコンバレーがあり、ベンチャーから巨大企業まで多くのIT関連企業が集結しており、業界の雰囲気を感じることができます。そこで会う多くの人はITの専門家ではなくても、データセンターをよく知っており、また懸念点や今後の期待などを話してくれました。いかにコンピューターが今後のビジネスで重要であり、それを支えるインフラをどう効果的に活用するかを理解しているようでした。日本とアメリカでのデータセンターの認知度の差を痛感しました。

アメリカで流行しているテクノロジーが何年か遅れて日本に入り、ブームになるというのはこれまでもよく聞く話です。この流れは続くだろうと思っておりますし、近い将来はアメリカだけではなく、中国からの最先端の技術を参考にする日もあり得ると思っています。私が子どもの頃は日本の技術が世界をリードしていると感じていました。それを思うと今の日本の置かれている状況に少し寂しい気持ちがあります。

2045年にシンギュラリティが起こるともいわれ、今後デジタル化は加速度的に進展していくことになるでしょう。今後の国家戦略でいちばん重要な要素はテクノロジーのレベルだと信じています。そのすべてのコンピューティングテクノロジーの基礎となるデータセンターこそが、国の重要な基盤となりますが、従来のデータセンターのあり方では立ち行かなくなるのは間違いありません。さまざまな前提を見直して、新たな技術を追い求めていく必要があります。

現時点で、日本はIT分野において世界をリードしているとは正直いえない状況です。しかし依然として世界の多くの国では、日本製品のもつ「メイド イン ジャパン ブランド」は健在であると信じています。このような評価を築き上げてくれた先人たちに、大いに感謝するしかありませんし、それを守っていく努力が必要でしょう。

データセンターに関しては、日本の技術力やノウハウがあれば、世界に通用する独自技術を開発できると私は思っています。日本人の器用さやきめ細かさは、これから増えていくＩｏＴを実現する社会、そしてそれを支える小型データセンターと相性がいいのではないでしょうか。その独自技術を高めて、製品として確立させることができれば、日本は世界でのテクノロジー面において確固たる地位を築けるはずです。

いずれにしてもデータセンターはこれからのデジタル社会を支える最も重要なインフラの一つです。一人でも多くの人がデータセンターに興味をもち、そこからビジネスチャンスを広げていただくことを願っております。

２０２３年３月

杉浦 日出夫

杉浦日出夫（すぎうら　ひでお）

１９７４年東京生まれ。カナダ留学から帰国後、通信設備工事会社にて外資系金融・証券会社のデータセンター構築に従事。２０００年からアメリカのモルガン・スタンレー証券でストラクチャードケーブリングの設計・管理を担当する。在職中にアメリカ同時多発テロ事件に遭ったことで、データセンターの重要性を実感。２００６年に株式会社ＲＳＩを設立。データセンターの設計、プロジェクトマネジメント、運用体制のコンサルティングなど、データセンターに関するあらゆる業務に従事。データセンターをテーマとする研修の講師なども務める。カナダ・マギル大学にてＭＢＡ取得。

本書についての
ご意見・ご感想はコチラ

改訂版 ＡＩ時代のビジネスを支える「データセンター」読本

二〇二三年三月一〇日　第一刷発行

著　者　杉浦日出夫
発行人　久保田貴幸
発行元　株式会社　幻冬舎メディアコンサルティング
〒一五一-〇〇五一　東京都渋谷区千駄ヶ谷四-九-七
電話　〇三-五四一一-六四四〇（編集）
発売元　株式会社　幻冬舎
〒一五一-〇〇五一　東京都渋谷区千駄ヶ谷四-九-七
電話　〇三-五四一一-六二二二（営業）
印刷・製本　中央精版印刷株式会社
装　丁　弓田和則

検印廃止

Printed in Japan　ISBN 978-4-344-94470-1　C0034
幻冬舎メディアコンサルティングＨＰ　https://www.gentosha-mc.com/